HARWICH–HOEK VAN HOLLAND

A 100 Years of Service
100 Jaar Veerdienst

MILES COWSILL JOHN HENDY
FRANK HAALMEIJER

Foto's voorkaft:
Boven: De elegante *Mecklenburg* vertrekt van Parkeston Quay in de dagdienst naar de Hoek. (Henry Maxwell)

Onder: De *Koningin Beatrix* en de *Stena Britannica* passeren elkaar op de Nieuwe Waterweg bij Hoek van Holland in juni 1991. (Stena Line)

Foto's achterkaft:
De *Koningin Juliana* was de eerste SMZ-carferry, die voor de Nederlandse maatschappij in 1968 werd gebouwd. (Frank Haalmeijer)

De maatschappijvlag van de Stoomvaart Maatschappij Zeeland – SMZ. (Frank Haalmeijer)

De *St. Edmund* opweg naar Holland. (Fotoflite 419)

Front cover photographs:
Top: The elegant *Mecklenburg* leaving Parkeston Quay on her day sailing for the Hook. (Henry Maxwell)

Bottom: The *Koningin Beatrix* and *Stena Britannica* pass each other in the New Waterway off the Hook of Holland in June 1991. (Stena Line)

Back cover photographs:
The *Koningin Juliana* was the first SMZ car ferry to be built for the Dutch company in 1968. (Frank Haalmeijer)

The houseflag of Stoomvaart Maatschappij Zeeland – SMZ. (Frank Haalmeijer)

The *St. Edmund* on passage to Holland. (Foto Flite 419)

Acknowledgements

The authors would like to express their gratitude to their good friend Henk van der Lugt for his unfailing enthusiasm, assistance and above all his willingness to share his unrivalled knowledge of the Harwich – Hook of Holland service. Without him, this publication would have been all the poorer.

We should like to place on record our thanks to W. Paul Clegg, Doug Fitzgerald, Bernard McCall, Glyn Davies, Graham Langmuir, Henry Maxwell, Nick Robins, B.W. Scholten, Philip Cone, Captain D.C. Ouwehand, Steffan Weirauch, Harro Zoet (Stena Line BV), Harry Betist (Stena Line BV), Scott Dolling (Stena Sealink Line), FotoFlite, KLM Schipol, Chris Laming (Stena Sealink Line), Strathclyde Regional Archives, Glasgow University Archives, National Maritime Museum, National Railway Museum, W.F. Bottomley, G.R. van Veldhoven, G. Monteny, John Carr, David Parsons, C. H. Blankers, A. Hope, Rotterdam Municipal Archives, Mike Louagie and Roger Ferris of Haven Colourprint.

In conclusion we should like to express our sincere gratitude to Joy Sandifer and Ian Smith of Bézier Design, Pembroke, for all his efforts in preparing and designing this publication.

12 Millfields Close, Pentlepoir, Kilgetty, Pembrokeshire SA68 0SA, UK.
Tel/Fax 0834 813991.

Hardback edition ISBN 1 871947 15 4
Paperback edition ISBN 1 871947 16 2

INHOUD | CONTENTS

Met groot genoegen voldoe ik aan het verzoek om dit boek, uitgegeven ter herdenking van het honderdjarig bestaan van de route Hoek van Holland – Harwich, in te leiden.

Begonnen in 1893 als schakel in een (voor die tijd) snelle spoorverbinding voor zowel reizigers als vracht, biedt de route momenteel ook uitstekende faciliteiten om de oversteek per auto of touringcar te maken.

Het vervoer groeide van 25.000 passagiers per jaar in 1893 tot ruim één miljoen passagiers per jaar in 1993. Was vroeger de noodzaak tot transport de voornaamste reden om te kiezen voor de route, tegenwoordig zijn juist komfort en plezier gedurende de reis de belangrijkste beweegredenen van de consument om te kiezen voor de route Hoek van Holland – Harwich.

In 1989 nam Stena Line alle aandelen Stoomvaart Maatschappij Zeeland NV – de exploitant sedert 1893 – over. De naam van de vennootschap werd gewijzigd in Stena Line BV.

Stena Line is er trots op haar ruime kennis en ervaring opgedaan in het Scandinavisch gebied, ten dienste te kunnen stellen van de lijn en de luxe cruise-ferries m.s. *Koningin Beatrix* en m.s. *Stena Britannica.* Met het in de vaart nemen van de vrachtferry m.s. *Stena Seatrader* heeft de route er een extra dimensie bijgekregen.

De route bewijst haar bestaansrecht inmiddels al honderd jaar en ziet vol vertrouwen de komende 100 jaar tegemoet.

Namens de Raad van Commissarissen,

Mr. H. Baron Collot d'Escury

I have great pleasure in introducing this book, published to commemorate the centenary of the Harwich – Hook of Holland route.

Starting in 1893 as a link in a fast (for that period) railway connection for travellers and freight, the route now also offers excellent facilities for cars and coaches.

Traffic has been predicted to increase from 25,000 passengers a year in 1893 to more than a million passengers in 1993.

In the past the need for transportation was the principal reason for choosing the route, at present comfort and enjoyment during the voyage are the most important motives of the consumer for travelling on the Harwich – Hook of Holland route.

In 1989 Stena Line purchased all the shares in the Stoomvaart Maatschappij Zeeland N.V., the operator since 1893. The company name changed to Stena Line B.V.

Stena Line is proud to bring to the route the luxurious cruise ferries m.s. *Koningin Beatrix* and m.s. *Stena Britannica,* along with the vast knowledge and experience gained from the Scandinavian market. The introduction of the freight ship m.s. *Stena Seatrader* also gave an extra dimension to the route.

The route has justified its existence successfully for 100 years and faces the next 100 years full of optimism.

On behalf of the Supervisory Board

Mr. H. Baron Collot d'Escury

Maritime Photographic

G.E. Langmuir collection

Amsterdam

INLEIDING

Ferry Publications is verheugd door Stena Line BV benaderd te zijn, om mee te werken aan de viering van het 100 jarig jubileum van de oudste route over de Noordzee.

Door het uitgeven van dit boek in zowel de Nederlandse als de Engelse taal, hopen wij een zo groot mogelijk publiek te bereiken en wij vertrouwen erop, dat onze lezers aan beide kanten van de Noordzee veel plezier beleven bij het lezen van de geschiedenis van het prille begin tot in de tegenwoordige tijd.

De Great Eastern Railway exploiteerde de verbinding, totdat ze in 1923 werd opgenomen in de London & North Eastern Railway. De nationalisatie van 1948 bracht de British Railways in beeld, totdat in 1986 alle scheepvaartlijnen (toen onder de naam Sealink bekend) werden verkocht aan Sea Containers, gevestigd op de Bermuda Eilanden.

De Nederlandse deelname op de route begon in 1947. In dat jaar verplaatste de SMZ (Stoomvaart Maatschappij Zeeland) haar dagelijkse dienst van de basis Vlissingen naar Hoek van Holland, terwijl Harwich de Engelse haven bleef. Tot 1927 voer de SMZ op Folkestone, daarna op Harwich.

Samen met de Engelse schepen, die de nachtafvaarten verzorgden, voeren de Nederlandse schepen de dagdienst. Deze situatie bleef zo tot 1968, toen een

INTRODUCTION

Ferry Publications is delighted to share with Stena Line BV their celebration of one hundred years of service and achievement on the North Sea's oldest sea-link.

By publishing this book in both Dutch and English we hope to reach as wide an audience as possible and trust that our readers on both sides of the North Sea will enjoy tracing the route's history from the early days through until the present time.

The Great Eastern Railway operated the link until it was absorbed by the London & North Eastern Railway in 1923. Nationalisation in 1948 brought British Railways into being until, in 1986, all railway-owned shipping services (by then trading as Sealink) were sold to the Bermuda-based Sea Containers.

Dutch participation on the route began in 1947. During that year the SMZ (Zeeland Steamship Company) switched its daily service from its base at Flushing (Vlissingen) to the Hook of Holland, although Harwich had superceded Folkestone as its English terminal in 1927.

With the British ships offering a night sailing and the Dutch vessels operating by day, this situation continued until 1968 when the joint car ferry service was introduced.

In June 1989 SMZ was sold to Stena Line

gezamelijke car-ferry dienst werd geopend.

In juni 1989 werd de SMZ verkocht aan de Zweedse Stena Line, welke na de daaropvolgende overname van Sealink UK Ltd in april 1990, de gehele route onder Nederlands management bracht. Deze reorganisatie werd voltooid op 1 januari 1991.

Daarna komt de geschiedenis van de havens. De Great Eastern Railway wilde haar Continental Pier in Harwich verder uitbreiden. Dat kon alleen verderop in de rivier. In februari 1883 werd Parkeston Quay geopend.

Aan de Nederlandse kant waren de problemen groter door verzanding en verplaatsende zandbanken in de mond van de rivier de Maas, welke een gevaar betekenden voor de haven van Rotterdam. De bekende Nederlandse ingenieur Caland gaf de oplossing door de Waterweg vanaf de stad Rotterdam rechtstreeks in de Noordzee te laten uitmonden. Het werk startte in 1866 en op 9 maart 1872 kwam de Great Eastern Railway's raderboot *Richard Young* als eerste stoomschip binnen door de nieuwe vaarweg opweg van Harwich naar Rotterdam.

Een snelle uitbreiding volgde door onder andere een rechtstreekse spoorlijn aan te leggen tussen Rotterdam en Hoek van Holland, welke de passagiers in staat stelden vertragingen te vermijden, die door mist op de rivier werd veroorzaakt. Thans kan de haven de grootste schepen ontvangen. Op 1 juni 1893 werd de nieuwe kade in Hoek van Holland geopend met de aankomst van de *Chelmsford,* doch het duurde nog tot 1904, voordat de passagiersdienst werd ingekort tot Hoek van Holland.

Er is veel gebeurd in de eerste honderd jaar van de route. Het is een geschiedenis van streven, sociale veranderingen, technische vooruitgang, van triomf en tragedie, zowel in vrede als in oorlogstijd en boven alles, is het een geschiedenis van schepen. Hoewel ze tegenwoordig algemeen bekend staan als "ferries", zijn de schepen, die Engeland en Nederland hebben verbonden, onherkenbaar veranderd.

Tegenwoordig behoeven reizigers geen nachtmerries meer te hebben. De *Koningin Beatrix* en *Stena Britannica* zijn grote en moderne ferry-schepen, voorzien van de laatste snufjes en faciliteiten. De huidige exploitanten van de route hebben zich een beleid van continuïteit in dienstbaarheid toevertrouwd en wij vertrouwen erop, dat in de 2e eeuw van haar bestaan, de verbinding Hoek van Holland-Harwich zich goed zal ontwikkelen.

of Sweden who, after their later acquisition of Sealink UK Ltd in April 1990, set about putting the route under total Dutch control. This was finalised in January 1991 when British management ceased.

Then there is the story of the ports. There is the vision of the Great Eastern Railway which saw that in order to expand, the old Continental Pier at Harwich should be superceded by a large new quay further up river. In February 1883, Parkeston Quay was duly opened.

On the Dutch side the problems were far greater as silting and the shifting sandbanks in the delta of the River Maas was in danger of strangling the port of Rotterdam. The great Dutch engineer Caland provided the solution by digging a New Waterway from the city of Rotterdam directly out into the North Sea. Work started in 1866 and on 9th March 1872, the Great Eastern Railway's paddle vessel Richard Young became the first steamer to use the new channel on her journey from Harwich to Rotterdam.

With the port now able to take the largest ships, great expansion followed and the opening of the direct railway line between the Hook of Holland and Rotterdam allowed passengers to avoid the delays often experienced in the river due to fogs. On 1st June 1893, the Great Eastern Railway's *Chelmsford* opened the new quay at the Hook of Holland, although it was not until 1904 that the passenger service to Rotterdam finally ceased.

Much has happened in the route's first one hundred years. It is a story of endeavour, of social change, of technological advance, of triumph and tragedy in both war and peace and, above all, it is a story of ships. Today known universally as 'ferries', the vessels which have linked England and Holland have changed beyond recognition.

In the final decades of the nineteenth century, W.S. Gilbert could include the words in his famous 'Nightmare Song' that, 'crossing the Channel from Harwich... is half way between a large bathing machine and a rather small second class carriage'.

There are no more nightmares for today's traveller. The *Koningin Beatrix* and *Stena Britannica* are large and modern ferry-liners offering the last word in passenger comfort and facilities. The present operators of the link are fully committed to continuing the policy of service and we may be confident that in its second hundred years, the Harwich-Hook of Holland link will continue to develop and prosper.

Frank Haalmeijer collection

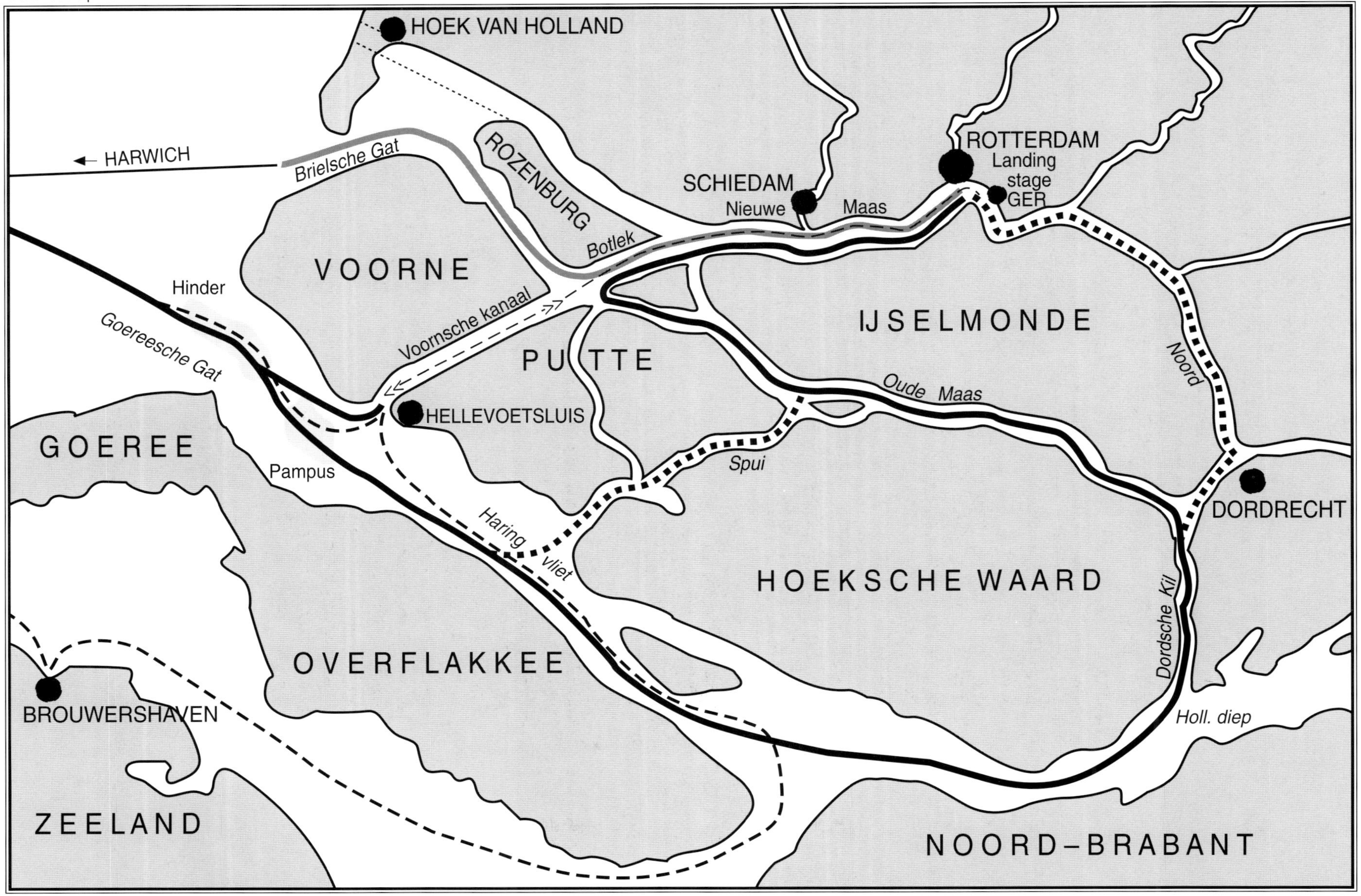

The Waterway into Rotterdam 1893
De Waterweg van Rotterdam naar Zee 1893

HET BEGIN

In augustus 1854 bereikte de Eastern Counties Railway Company het stadje Harwich en het duurde niet lang voordat andere ondernemende maatschappijen trachtten de invloed van de lijn uit te breiden naar de havens van Rotterdam, Antwerpen en Hamburg.

De meest succesvolle van deze onafhankelijke pogingen was de dienst, die op 16 september 1854 werd geopend door de North of Europe Steam Navigation Company, toen haar raderschip *Aquila* uitvoer naar Antwerpen. In februari 1858 hield de maatschappij echter op te bestaan, maar viereneenhalf jaar later leidde de samenvoeging van een aantal spoorwegmaatschappijen in Oost Engeland tot de formatie van de Great Eastern Railway, welke in 1863 toestemming kreeg om met eigen schepen vanuit de haven van Harwich te varen.

Op 3 oktober van dat jaar vertrok de gecharterde *Blenheim* uit Rotterdam met een lading vee. De volgende maand kwamen ook de *Norfolk* en de *Prince of Wales* in de vaart.

De charterovereenkomsten waren nooit bevredigend, daar ze zowel kostbaar als onbetrouwbaar waren. De direktie van de Great Eastern Railway verloor weinig tijd, voordat ze hun eigen schepen bestelden bij J & W Dudgeon of London.

Het eerste schip was het raderschip *Avalon*, dat op 13 juni 1864 begon aan haar 13 urige oversteek naar Rotterdam, terwijl haar zusterschip *Zealous* op 1 augustus de weekdienst naar Antwerpen opende.

De omstandigheden aan boord van deze oude schepen waren uitzonderlijk eenvoudig. De bar, waarin een pantry was, lag tegen een grote open salon met houten tafels en comfortabele zitplaatsen. Rondom in de wanden van deze salon, afgescheiden met gordijnen, waren bedsteden voor 2 personen gemaakt. Aangemerkt als een zeer luxueus schip voor haar tijd, kon de *Avalon* slechts 115 passagiers herbergen.

EARLY DAYS

The Eastern Counties Railway Company reached the town of Harwich in August 1854 and it was not long before other enterprising concerns were attempting to extend the line's sphere of influence to the Continental ports of Rotterdam, Antwerp and Hamburg.

The most successful of these independent ventures was the service started on 16th September 1854 by the North of Europe Steam Navigation Company when their paddle steamer *Aquila* set out to Antwerp. The company eventually folded in February 1858 but four and a half years later the amalgamation of a number of East Anglian railway companies led to the formation of the Great Eastern Railway, which in 1863 gained power to operate its own ships from the port of Harwich.

On 3rd October that year, the chartered *Blenheim* sailed from Rotterdam with a cargo of cattle and the following months saw the *Norfolk* and *Prince of Wales* enter service.

Charter arrangements were never satisfactory, being both costly and unreliable, and so the Great Eastern's directors lost little time in ordering their own tonnage from J & W Dudgeon of London.

The first vessel was the paddle steamer *Avalon* which commenced her 13 hour service to Rotterdam on 13th June 1864 while her sister *Zealous* opened the weekly Antwerp link on 1st August.

Conditions on board these early steamers were extremely spartan. The bar included a pantry, while adjacent to this a large open saloon contained wooden tables and comfortable seats. Around the outside of this saloon, curtained off from the main area, were alcoves in which were fitted twin bunks. Regarded as a very luxurious ship for her time, the *Avalon* accommodated as many as 115 passengers.

Until the outbreak of World War 1 the main cargo carried was cattle for the meat trade, although up until the time that the New Waterway was opened in 1872,

Het van ijzer gebouwde raderschip *Harwich* was één van de eerste schepen van de Great Eastern voor de dienst op Rotterdam.

The iron hulled paddle steamer *Harwich* was one of the Great Eastern's first vessels for the Rotterdam link.

Tot aan het begin van de Eerste Wereldoorlog werd hoofdzakelijk vee voor de vleeshandel vervoerd.

Tot aan de tijd, dat de Nieuwe Waterweg werd geopend in 1872, werd Rotterdam op een geheel andere manier aangelopen dan zoals dat vandaag gebeurd. De oude vaarwegen in de aanloop naar de Nederlandse haven verzandden steeds, hoewel het Voornsche Kanaal (gegraven in 1829) grotere schepen in staat stelde, om vanuit het zuidwesten aan te lopen. Zelfs dit was niet genoeg, daar de afmetingen van de schepen snel toenamen.

VAARWEGEN NAAR ROTTERDAM

In de eerste vijfentwintig jaar van de negentiende eeuw was de status van Rotterdam als haven gelijk aan die van Antwerpen (toen, vóór de afscheiding van het huidige België, deel uitmakend van de Nederlanden), maar naderde nooit de belangrijkheid van Amsterdam. Het was echter van steeds groter belang voor Rotterdam om uit te breiden, daar het natuurlijke achterland langs het Rijn een afvoerkanaal nodig had om te kunnen exporteren.

In 1816 kwam het eerste stoomschip de haven binnen en daarna nam de diepgang van de schepen steeds toe, terwijl de delta's van de Rijn en de Maas steeds weer ondieper werden door modder, zand en slik.

De oorspronkelijke aanloop naar Rotterdam vanuit zee was door de oude monding van de Maas, door het Brielsche Gat, de Botlek en de Nieuwe Maas. Regelmatig liepen schepen aan de grond en om dit te voorkomen werd de langere maar diepere vaarweg door het Goereesche Gat, Haringvliet, Hollands Diep, Dordtse Kil, Oude Maas, Botlek en de Nieuwe Maas gebruikt.

In het vroege begin van de achttiende eeuw heeft de Nederlandse ingenieur Nicolaas Cruquius een plan bedacht om een doorgraving te maken nabij De Hoek van Holland, waarbij een rechte verbinding ontstond tussen Rotterdam en de Noordzee.

Rotterdam was approached in a vastly different way to that today. The old channels used in the approaches to the Dutch port were silting up, although the Voornsche Canal (built in 1829) enabled larger ships to approach from the south west. Even this was not adequate as the size of ships was rapidly increasing.

SEAWAYS TO ROTTERDAM

In the first quarter of the nineteenth century Rotterdam's status as a port was equalled by that of Antwerp (then, before the founding of Belgium, part of the Greater Netherlands) but neither approached the importance of Amsterdam. However, it was becoming essential for Rotterdam to expand as the vast natural hinterland of the Rhine valley badly needed an outlet through which to export the region's wealth.

In 1816 the first steamship arrived in the port and the draft of ships continued to increase during a time when the waters of the Rhine and Maas deltas were continuing to be filled with deposits of mud, sand and silt.

The original approach to Rotterdam from the sea was by way of the old exit of the River Maas through the Brielsche Gat and by way of Botlek and the New Maas. Ships frequently grounded and to avoid this a longer but deeper channel through the Goereesche Gat, by way of Haringvliet, Hollands Diep, Dordtse Kil, the Old Maas, Botlek and the New Maas was used.

De *Avalon*, die in 1865 in dienst werd gesteld, verving het vorige raderschip met die naam, dat niet aan de verwachtingen voldeed.

Entering service in 1865 the *Avalon* replaced the earlier paddle steamer of the same name which had proved unsatisfactory.

De *Claud Hamilton* kwam in dienst in 1875 en was geliefd bij de bemanning en het publiek. Zij bleef tot 1897 in dienst.

The *Claud Hamilton* entered service in 1875 and was highly regarded by her crews and the general public. She remained in service until 1897.

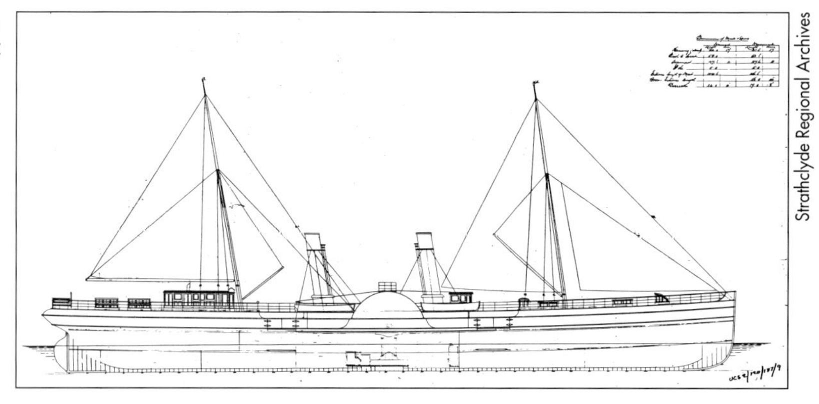

Strathclyde Regional Archives

Het duurde echter nog meer dan anderhalve eeuw, voordat dit ambitieuze plan werd gerealiseerd.

Het was de "Koopman-Koning", Koning Willem I (1813-1840), die opdracht gaf het Voornsche Kanaal te graven en de financiële middelen daarvoor verstrekte. Het werd uiteindelijk in 1829 geopend. Het was een grote stap voorwaarts en werd voor de eerst volgende 10 jaar een veilige en veel gebruikte route naar Rotterdam. Toen na 1840 de handel met Nederlands Oost Indië tot ontwikkeling kwam, werd het Voornsche Kanaal al snel te klein en te ondiep en regelmatig moesten schepen een deel van hun lading overladen in kleinere schepen, voordat ze het doolhof van vaarwegen in de aanloop naar Rotterdam ingingen. In die tijd werd vanaf Brouwershaven ookwel buitenom het eiland Flakkee gevaren en verder door het Voornsche Kanaal naar Rotterdam wat soms weken in beslag nam. In die tijd had de haven een slechte naam en Antwerpen plukte daar de vruchten van.

Met in gedachte de markt, die verloren ging, hield de Nederlandse Regering zich langdurig bezig met beraadslagingen over hoe de benarde positie van Rotterdam kon worden opgelost en de jonge ingenieur Pieter Caland bleek de redder te zijn.

Caland stelde voor om de nieuwe doorgraving te bouwen vanuit Rotterdam naar De Hoek van Holland en dan door de duinen naar de Noordzee. Terecht stelde Caland, dat een nauwe opening voldoende zou zijn, daar de getij stroming de ingang zelf

As early as the eighteenth century the Dutch engineer Nicolaas Cruquius had devised a plan to pierce the coastline near to the Hook of Holland thereby creating a straight cut between Rotterdam and the North Sea, although it was to take over a century and a half to see this ambitious plan realised.

It was the 'King-merchant', King Willem I (1813-1840), who gave the order and provided the finances to construct the Voornsche Canal which was finally opened in 1829. This was a great step forward and for ten years provided a safe and well-used passage to Rotterdam. However, after about 1840 when trade began to develop and expand with the Dutch East Indies, the Voornsche Canal was found wanting and in order to reduce their draft, large vessels would frequently discharge much of their cargo into smaller ships before attempting to enter the maze of channels in the approaches to Rotterdam. At that time the passage through the estuary from Brouwershaven, passing outside the island of Flakkee and through the Voornsche Canal to Rotterdam, could take weeks, the port's reputation was at an all time low and Antwerp reaped the benefits.

Mindful of the trade being lost, the Dutch Government engaged in long consultations as to how to relieve Rotterdam's plight and the young engineer Pieter Caland proved to be its saviour.

Caland suggested that a new cut should be built from Rotterdam to the Hook of Holland and through the sand dunes into the North Sea. A narrow opening, Caland reasoned, would be sufficient as the tidal flow

National Railway Museum ref. 606/1/54

De *Lady Tyler* was in 1880 in North Shields gebouwd, maar bleef slechts zeer kort in dienst.

The *Lady Tyler* was built at North Shields in 1880 but served only the briefest of careers.

National Maritime Museum ref. P 20250

Het laatste raderschip, dat voor de Great Eastern werd gebouwd, was de *Adelaide* uit 1880.

The final Great Eastern paddle steamer to be built was the *Adelaide* of 1880.

steeds wijder zou uitschuren.

De Koninklijke goedkeuring werd op 24 januari 1863 verleend door Koning Willem III en het werk begon in augustus. Op 31 augustus 1866 stak de Prins van Oranje de eerste spade in de grond en twee jaar later werd op 26 november de zee bereikt.

Tot aan de tijd, dat Hoek van Holland werd geopend, gebruikten de schepen uit Harwich de Oosterkade, tegenover het station van de Nederlandsche Rhijn Spoorweg (N.R.S.). De passagiers konden zo van het schip naar hun trein lopen, hoewel er in die tijd vermoedelijk geen speciale boottreinen reden.

In 1877 werd de spoorbrug over de Maas geopend. De schepen konden niet hieronder door varen, waardoor ze gedwongen werden een nieuwe ligplaats te gaan gebruiken, iets benedenstrooms van het station aan de Westerkade en later de Parkkade.

De belangrijke spoorverbinding vereiste nu het gebruik van koetsen of de paardetram. Deze ongunstige situatie maakte de ontwikkeling van Hoek van Holland, waar een snelle overstap tussen schip en trein mogelijk werd, nog belangrijker.

De aanleg van de Nieuwe Waterweg redde Rotterdam en stelde schepen van elke afmeting in staat, wat thans de grootste haven ter wereld is, aan te lopen.

Een zekere mate van onzekerheid hing boven de eerste *Avalon* van de Great Eastern Railway. Het schijnt, dat zij was gebouwd naar het bestek van haar bouwers, dat niet overeenkwam met de verwachtingen van de direktie.

Na een korte periode in dienst, strandde ze op een van de vele zandbanken in de aanloop naar Rotterdam en werd daardoor zodanig beschadigd, dat zij werd terugverkocht aan J. &. W. Dudgeon, die op haar beurt het schip in februari 1866 wegdeed naar Brazilië.

De *Zealous* echter, werd gehouden en kreeg later een levensduur verlenging van 14 jaar, toen ze in 1873 van nieuwe ketels werd voorzien.

would serve to scour the entrance which in time would widen itself.

The Royal consent was given by King Willem III on 24th January 1863 and work commenced during August. On 31st October 1866, the Prince of Orange cut the first sod and the sea was reached on 26th November two years later.

Until the time that the Hook of Holland was opened, the ships from Harwich used the Oosterkade opposite the railway station of the Netherlands Rhine Railway Company (NRS). Passengers could walk from the ship to their trains, although in the early days there do not appear to have been any special boat trains.

In 1877 the railway bridge was opened across the the New Maas and, as they were unable to pass beneath it, the ships were forced to use a new berth just down river from the station at the Westerkade and later the Parkkade. The all-important rail connection now required the use of a horse-drawn carriage or tram and this inconvenience made the development at the Hook of Holland, where transfer between ship and train was so swift, all the more important.

The construction of the New Waterway saved Rotterdam and enabled ships of any size to approach what is today the world's largest port.

A degree of uncertainty clouds the history of the Great Eastern's first *Avalon*. It appears that she was constructed to her builder's

De eerste passagiersschepen met schroeven waren de *Ipswich* en de *Norwich* uit 1883. De laatste ligt hier aan de Continental Pier in Harwich.

The first screw steamers for the passenger services were the *Ipswich* and *Norwich* of 1883. The latter is seen here at the Continental Pier, Harwich.

G.E. Langmuir collection

G.E. Langmuir collection

De zusterschepen *Cambridge* en *Colchester* (hier afgebeeld) waren het tweede stel schepen met schroeven voor de passagiersdienst.

Sisters *Cambridge* and *Colchester* (illustrated here) were the second set of screw steamers for the passenger services.

Twee andere schepen die in 1864 ook in de vaart genomen waren, waren de ook aan de Thames gebouwde, *Harwich* en *Rotterdam.* Zij werden voornamelijk voor de veevaart gebouwd en zijn twintig jaar later door Messrs. Earle's scheepswerf in Hull verbouwd tot schroefschepen, waarna de *Rotterdam* als *Peterboro* verder ging. Beide schepen hadden een lange staat van dienst en zijn in dienst gebleven tot na de eeuwwisseling.

Toen de direktie van de Great Eastern Railway besloot de ongeschikte *Avalon* af te stoten, lag een vijfde schip op de helling bij Dudgeon. Er is voorgesteld, dat het nieuwe schip *Ravensbury* zou gaan heten, maar zij werd in 1865 opgeleverd als de tweede *Avalon.*

Ook haar zusterschip *Ravensbury* was een schip, dat slechts korte tijd in dienst was. Op 8 maart 1870 liep ze aan de grond in de Maasmond, raakte lek en liep vol. Het schip werd verlaten en verdween in de modder en het zand van de Maas.

In 1971, toen baggerwerkzaamheden werden uitgevoerd op de Maasvlakte, ontdekte men een onbekend schip. In een poging om het te identificeren, werd de helft van het wrak gelicht door de baggeraars, waarbij vierkante stoomketels, twee oscillerende machines en raderen met houten bladen zichtbaar werden. Uiteindelijk werd het wrak geïdentificeerd door de ontdekking

specifications yet failed to meet the Directors' expectations.

After the briefest service, she grounded on one of the numerous sandbanks in the approaches to Rotterdam and damaged herself to such an extent that she was sold back to Dudgeon's who, in turn, disposed of her to Brazil in February 1866.

The *Zealous* meanwhile was retained and was later given a new lease of life when she was reboilered in 1873, thereby extending her career by another fourteen years.

Two other ships also entered service during 1864, these being the *Harwich* and the *Rotterdam* which were also built on the Thames. These were mainly cattle carriers which some twenty years later were sent to Messrs. Earle's yard at Hull for conversion to screw propulsion after which the *Rotterdam* emerged with the name *Peterboro.* Both ships had long careers and remained in service well after the turn of the century.

On the stocks at Dudgeon's at the time when the Great Eastern's Directors decided to part with the unsuccessful *Avalon* was a fifth ship. It has been suggested that the new vessel was to be named *Ravensbury,* but she was delivered in 1865 as the second-named *Avalon.*

Her sister was the *Ravensbury,* another ship which sadly enjoyed only the briefest of careers. As she was nearing Rotterdam on 8th March 1870, she grounded, sprung a leak and flooded. The vessel was abandoned and disappeared in the mud and silt of the River Maas.

During 1971, work was underway dredging in the Maasvlakte when an unnamed ship was discovered. In an effort to identify it, the dredging crew lifted half of the wreck exposing square steam boilers, two oscillating engines and paddles with wooden blades. The vessel was finally identified by the discovery of a china washbasin on which was painted the coat of arms of the Great Eastern Railway Company, although,

De *Berlin* was er een uit een serie van drie, in 1894 gebouwd te Hull. Het verlies van dit schip in 1907 voor Hoek van Holland, was het ergste ongeval op de route.

The *Berlin* was one of a trio of steamers built at Hull in 1894. Her loss off the Hook in 1907 was the route's worst disaster.

G.E. Langmuir collection

W.F. Bottomley collection

Hier ziet u de *Amsterdam* Harwich passeren met de later aangebrachte verhoogde brug. De witte toppen van de voormasten zijn op sommige foto's niet te zien.

The *Amsterdam* is seen passing Harwich with her raised bridge, which was fitted later in her career. The white tops of the foremasts fail to show in some of the views.

van een porseleinen wasbak, waarop het monogram van de Great Eastern Railway voorkwam. Echter onder druk van de tijd, was het helaas niet mogelijk een uitgebreid onderzoek uit te voeren, voordat het wrak weer terug gelegd werd in haar graf.

De een jaar oude *Pacific* werd in 1865 gekocht en het bewijs van nog verdere groei van de route kwam het jaar daarop, toen het vrachtschip *Yarmouth* in de vaart kwam.

De *Richard Young* werd in 1871 opgeleverd door Dudgeon of London; het schip kreeg later bekendheid als het eerste stoomschip, dat op 9 maart 1872 de Nieuwe Waterweg binnenvoer.

unfortunately, pressure of time did not make possible a complete search before the wreck was reburied.

The year-old *Pacific* had been purchased in 1865 and yet further evidence of the route's growth occurred a year later when the cargo vessel *Yarmouth* joined the service.

Delivered from Dudgeon of London in 1871 came the *Richard Young*, which later gained fame when she became the first steamer to pass through the New Waterway on 9th March 1872.

Henry Maxwell collection

De salon van de *Dresden* (1897), compleet met zijn comfortabele lederen zitplaatsen, was een vertegenwoordiger van de laat Victoriaanse weelderigheid.

The saloon of the *Dresden* (1897) complete with its deep leather seating was the embodiment of late Victorian opulence.

W.P. Clegg collection

De *Brussels* uit 1902 van de dienst op Antwerpen, stond onder commando van kapitein Charles Fryatt, die, nadat het schip in 1916 in beslag was genomen, door de Duitsers werd gefusilleerd.

The Antwerp steamer *Brussels* of 1902 was commanded by Capt. Charles Fryatt who, after the ship's capture in 1916, was shot by the Germans.

Het vrachtschip *Cromer* (1902) was de eerste van vier van dergelijke schepen, gebouwd voor de vrachtdienst op Rotterdam, maar de enige, die een normale levensduur heeft gehad.

The cargo steamer *Cromer* (1902) was the first of four such ships built for the Rotterdam cargo service but the only one to serve a full career.

G.E. Langmuir collection

DE NIEUWE WATERWEG

De officiële opening van de Nieuwe Waterweg vond 10 dagen later plaats, maar er was nog veel te doen. De *Richard Young* gelukte het alleen nog maar de nieuwe monding aan te lopen bij hoog water want er was nog niet genoeg tijd verlopen om het verwachte uitschuren door de getijden te laten plaats vinden. De modder en het zand, die door de getijden meegevoerd waren, begonnen zich op te hopen voor de nauwe ingang. En een nieuwe zandbank begon te ontstaan, voordat de vaarweg zich ging verbreden. Enige tijd moesten de schepen met laag water wederom gebruik gaan maken van het oude Voornsche Kanaal. Met grotere schepen en de daarbij behorende toename van het scheepvaartverkeer, werd het een geval van terug naar af. Aan het eind van 1872 hadden slechts 416 schepen gebruik gemaakt van de Nieuwe Waterweg en de begroting van Caland van *f* 5 miljoen voor de aanleg was verdubbeld.

Gefrustreerd en ontmoedigd nam Caland ontslag en de ingenieur Willem Leemans werd opgedragen de ingang van de Nieuwe Waterweg en de Rotterdamse haven opnieuw vrij te maken. De grote zandbank in de ingang werd geheel weggebaggerd en de vaar-

THE NEW WATERWAY

The official opening of the New Waterway occurred ten days later but there was still much to be achieved. The *Richard Young* had only managed to enter the new cut at high water and enough time had not yet elapsed to encourage the expected tidal scouring. In time, the mud and sand being carried out by the tide actually started to accumulate in the narrow entrance, just before the channel widened, and a new bar began to build. For a while, vessels once more were forced to use the old Voornsche Canal at low water and with larger ships and associated traffic increases, it was almost a case of going back to square one. By the end of 1872 only 416 ships had used the New Waterway and Caland's estimation of 5 million guilders for its construction had doubled.

Frustrated and discouraged, Caland resigned and the engineer Willem Leemans was given the task of once more freeing the New Waterway and the port of Rotterdam. The great sand bar in the entrance was duly dredged and the fairway was widened and deepened. Although the accumulation of material is a never ending story, its clearance allowed Rotterdam once more to become a leading port.

G.R. van Veldhoven collection

Het vrachtschip *Yarmouth* kwam in 1903 in dienst.

The cargo vessel *Yarmouth* entered service in 1903.

National Maritime Museum ref. P 20 392

De ongelukkige *Berlin* als wrak op de noorderpier van de Nieuwe Waterweg, nadat ze in de vroege uren van 21 februari 1907 was gestrand.

The ill-fated *Berlin* wrecked on the North Pier of the New Waterway, after stranding herself in the early hours of 21 February 1907.

weg werd verbreed en uitgediept. Hoewel het ophopen van zand een verhaal zonder einde is, kon Rotterdam door het verwijderen ervan weer een vooraanstaande haven worden.

Het grote voordeel van de Nieuwe Waterweg was, voor zover het de Harwich boten betreft, dat door het diepe vaarwater tot midden in de stad Rotterdam, er voor het eerst een vaste dienstregeling mogelijk was. Men hoefde namelijk niet langer voor de Nederlandse kust te wachten, totdat er voldoende water op de Brielsche bank stond.

Er waren echter mensen, die nog steeds bezorgd waren over mogelijke vertragingen van passagiersschepen op de Nieuwe Waterweg en het idee van een spoorlijn tussen Rotterdam en Hoek van Holland kwam ter sprake.

Aan het eindpunt van de spoorlijn zou een kade gebouwd kunnen worden, waarlangs de schepen hun passagiers konden ontschepen en laten overstappen in klaarstaande treinen. Twee uur zou kunnen worden gewonnen, de route zou steeds populairder bij het publiek worden en er zou minder kans op vertragingen zijn door scheepvaart op de drukke wateren bij de stad. Deze belangrijke tijdsfactor zou ook het vervoer van bederfelijke goederen, zoals fruit, groenten en vis bevorderen.

The great advantage of the New Waterway so far as the Harwich steamers were concerned was that for the first time the presence of a deep water channel right into the heart to Rotterdam enabled them to operate a fixed, rather than a tidal, timetable as they no longer had to wait off the Dutch coast for sufficient water to cross the Brielle Bar.

However, there were those who were still concerned about possible delays to passenger ships on the New Waterway and the idea was mooted of a railway line from Rotterdam linking the Hook of Holland. At this point a quay could be constructed alongside which the steamers could discharge their passengers into waiting trains. Up to two hours could be saved, the route would become more popular with the public and there was less chance of being held up by other shipping movements in the busier waters close to the city. This important time factor would also aid the transport of perishable goods such as fruit, vegetables and fish.

Ferry Publications Library

Het derde turbineschip van de Great Eastern, de *St.Petersburg*, tijdens de afbouw in Clydebank. Zij verschilde met haar zusterschepen door een verhoogde bak. In 1919 werd zij herdoopt in *Archangel*.

Seen here fitting-out at Clydebank is the third of the Great Eastern's turbine steamers, the *St. Petersburg*. She differed from her sisters by having a higher forecastle and was renamed *Archangel* in 1919.

De tewater lating van de *Stockholm*. Zij kwam nooit in dienst op de route, waarvoor ze gebouwd was.

The launch of the *Stockholm*. She was never to see the service for which she was created.

Glasgow University Archives

EEN CLYDE SCHIP

Zonder enige twijfel was Great Eastern's raderschip *Claud Hamilton* de meest opmerkelijke van alle. Ze was vernoemd naar de direkteur van de maatschappij in die tijd. De bouwopdracht voor het nieuwe schip ging naar Schotland, waar ze op 3 juni 1875 bij John Elder & Company (later Fairfield of Govan) aan de Clyde te water werd gelaten. In dezelfde maand werd de dienst naar Rotterdam dagelijks uitgevoerd.

De *Claud Hamilton* had een bruto tonnage van bijna 1000 ton en de grootte en betrouwbaarheid van het schip droegen veel bij tot de verbetering van de dienst. Dit mooie raderschip bleef op post tot 1897 en was het laatste raderschip in de vloot van de Great Eastern Railway. Na de verkoop aan de Corporation of London, deed ze nog tot 1914 dienst voor het vervoer van vee tussen Gravesend en Deptford – een treurig einde voor een opmerkelijk schip.

In de zomer van 1875 werd de Stoomvaart Maatschappij Zeeland opgericht, die een dienst ging onderhouden tussen Vlissingen en Queenborough op het eiland Sheppey in Kent. Oorspronkelijk opgezet als nachtdienst met goede spoorwegverbindingen aan beide kanten van de Noordzee. De concurrerende route veroorzaakte bij de Great Eastern Railway veel ontsteltenis en Hudig & Pieters, hun agent in Rotterdam, schreef een brief aan de Nederlandse Regering. Hierin verklaarden ze, dat tenzij er een spoorlijn tussen Rotterdam en Hoek van Holland zou worden aangelegd, zij er zeker van waren, dat de Great Eastern zich niet alleen uit Rotterdam zou terugtrekken, maar ook uit Nederland.

A CLYDE SHIP

Without doubt the most notable of all the Great Eastern's paddle steamers was the *Claud Hamilton* which was named after the company chairman of the period. The order for the new steamer went to Scotland and to the River Clyde where John Elder & Company (later Fairfield of Govan) launched her on 3rd June 1875. In the same month the service to Rotterdam became daily.

Boasting a gross tonnage of almost 1,000, the *Claud Hamilton's* size and reliability did much to improve the service and this fine paddler remained on station until 1897 as the very last paddle steamer in the Great Eastern Railway's Continental fleet. Sold to the Corporation of London, she then served until 1914 carrying cattle between Gravesend and Deptford – a sad end to a notable ship.

During the summer of 1875, Stoomvaart Maatschappij Zeeland (SMZ), the Zeeland

Henk van der Lugt collection

Een foto van de *Colchester* aan Parkeston Quay.

A view of the *Colchester* at Parkeston Quay.

G.R. van Veldhoven collection

De *Brussels* aan de grond voor Harwich in april 1907.

The *Brussels* grounded off Harwich in April 1907.

Een tweede schip, dat aan Clyde gebouwd werd, was de *Princess of Wales* uit 1878. Met een accomodatie voor 580 passagiers in twee klassen, bleef dit schip tot 1895 in dienst.

Tot dat moment gebruikten de schepen van de Great Eastern de nogal korte Continental Pier in Harwich, waar tegenover het bloeiende Great Eastern Hotel stond. Een voortdurende onenigheid tussen de gemeente Harwich en de spoorweg maatschappij, leidde er echter toe, dat de laatste tamelijk ingrijpende maatregelen nam.

In januari 1879 werd een contract getekend om 1000 yards (910 meter) kadelengte te bouwen op zo'n twee mijl stroomopwaarts van Harwich in een gebied met gorzen en modderbanken, plaatselijk bekend als Ray Island. In deze kale en vochtige woestenij werden toen ligplaatsen gebouwd voor zes schepen, plus midden in de rivier Stour meerboeien voor nog eens zeven schepen. Het verschil tussen de nu gemaakte ruimte en de krappe omstandigheden in Harwich was enorm. Het duurde niet lang, voordat andere scheepvaart maatschappijen

Steamship Company, was founded to operate a service between Flushing and Queenborough, on the Isle of Sheppey, in Kent. A night service was originally operated and was aided by good railway connections on both sides of the North Sea. The rival route caused the Great Eastern Railway much consternation and Hudig & Pieters, their agents in Rotterdam, wrote to the the Dutch Government stating that unless a railway line between Rotterdam and the Hook of Holland was constructed, they were sure that the Great Eastern would not only move their service away from Rotterdam but also from Holland.

A second Clyde-built steamer was the *Princess of Wales* of 1878. Capable of accommodating 580 passengers in two classes, the ship lasted until 1895.

Until now, the Great Eastern's Continental steamers had used the rather restricted Continental Pier at Harwich, opposite which was the thriving Great Eastern Hotel. However, a continuing disagreement between Harwich Town Council and the railway company ended in

Henk van der Lugt collection

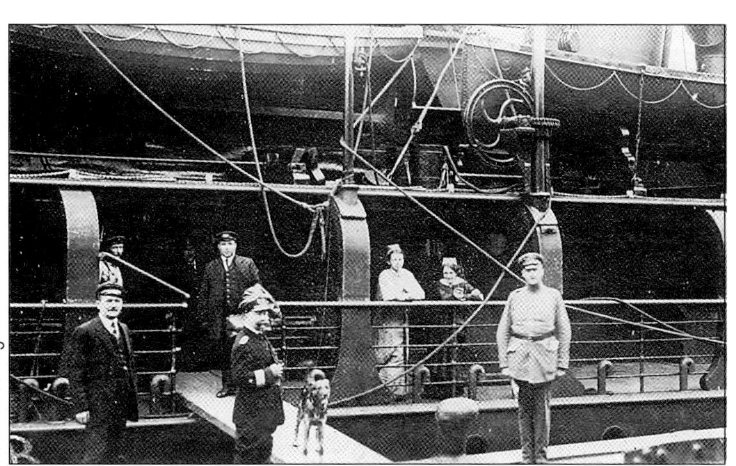

De *Brussels* en kapitein Fryatt (links), die door de Duitsers gevangenen werd genomen in juni 1916.

Captain Fryatt (left) and the *Brussels* taken prisoner by the Germans in June 1916.

National Maritime Museum ref N 4019

Het vliegdekschip HMS *Pegasus* was oorspronkelijk bedoeld om de Harwich-boot *Stockholm* te worden.

The aircraft carrier H.M.S. *Pegasus* was originally intended to be Harwich steamer *Stockholm*.

National Maritime Museum ref. P 20652

In 1917 werd de *Kilkenny* gekocht om de verliezen te compenseren en deed meer dan 10 jaren dienst als vrachtschip onder de naam *Frinton*.

Purchased in 1917 to replace losses, the *Kilkenny* served for ten more years in a cargo capacity, trading as the *Frinton*.

interesse kregen voor de nieuwe faciliteiten, waar tevens een nieuw hotel, een station en bijbehorende loodsen waren gebouwd. De nieuwe kade werd genoemd naar Charles H. Parkes, de direkteur van de Great Eastern Railway en werd geopend op 15 februari 1883. Parkeston Quay kostte ongeveer £500,000. Harwich was zo woedend, dat toen later de spoorweg zocht naar een uitbreidingsmogelijkheid van de kade in de richting van het stadje, de toestemming werd geweigerd.

De laatste twee raderschepen voor de route waren de *Lady Tyler* en de *Adelaide*, welke in 1880 in de vaart kwamen.

De eerste was in North Shields gebouwd en kwam in mei in de vaart. Met een accomodatie voor ongeveer 700 passagiers had zij een bestaan zonder noemenswaardige feiten, voordat zij in 1893 werd afgestoten als deel van de betaling voor het nieuwe schip *Chelmsford*.

Het tweede schip was in Barrow gebouwd en was het eerste schip op de dienst, dat geheel van staal was gemaakt. Net zoals bij de *Lady Tyler*, was haar loopbaan kort – ontwikkelingen in de scheepsbouw en de scheepswerktuigbouw, zorgden voor een vroegtijdig eind.

the latter taking rather drastic measures.

In January 1879, a contract was signed to build 1,000 yards of quays some two miles up river from Harwich on an area of saltings and mud banks known locally as Ray Island. In this bleak and damp wilderness was then built accommodation for six vessels, plus moorings for an extra seven, offshore in the River Stour.

The difference between the space now created and the cramped conditions experienced back at Harwich was enormous, and it was not long before other shipping companies began expressing interest in the new facilities which also consisted of a new hotel, railway station and associated warehouses.

The new quay was named after Mr. Charles H. Parkes, the Chairman of the Great Eastern Railway and was officially opened on 15th February 1883. Parkeston Quay cost in the region of £500,000 and so infuriated Harwich that when the railway later sought to extend their quay in the town's direction, permission was refused.

The final two paddle steamers for the route were the *Lady Tyler* and the *Adelaide* which had appeared in 1880.

The first was built at North Shields and entered service in May. With accommodation for about 700 passengers, she served an uneventful life before being disposed of in 1893 as part payment for the new ship, *Chelmsford*.

The second vessel was built at Barrow and was the first ship on the service constructed of steel. Like the *Lady Tyler*, her career was short – developments in ship construction and marine engineering bringing them to a premature demise.

In 1918 versterkte de *Felixstowe* de vrachtdienst op Rotterdam, maar werd niet voor 1949 verkocht. Tussen 1942 en 1946 heette ze *Colchester*.

The cargo vessel *Felixstowe* joined the Rotterdam cargo link in 1918 and was not sold until 1949. Between 1942-46 she was renamed *Colchester*.

G.E. Langmuir collection

SCHROEF SCHEPEN

Earle's of Hull was ingenomen met de toename van de klandizie van de Great Eastern en zij werden toen beloond met een order voor twee schroef stoomschepen, bedoeld om de verwachte toename van vervoer na de opening van Parkeston Quay, aan te kunnen.

De geheel van ijzer gebouwde zusterschepen gaven de tendens aan, volgens welke de resterende schepen in de Victoriaanse tijd, gebouwd zouden worden, hoewel elk van de volgende schepen een gewijzigde en grotere versie van het oorspronkelijke ontwerp zou zijn.

De *Ipswich* en de *Norwich* waren niet alleen de eerste schepen met stoomzuigermachines, gebouwd voor de diensten naar het vaste land, maar waren tevens de eerste schepen, die genoemd werden naar plaatsen, die door de maatschappij werden aangedaan. Zij werden in maart en mei 1883 te water gelaten en kwamen in juli en oktober in dienst. Zij hadden accomodatie voor 84 passagiers in de 1e klas en 42 in de 2e. Hun bruto inhoud was 1065 ton en de afmetingen 260 voet bij 31 voet (79,30 m x 9,46 m). Alhoewel hun dienstsnelheid 14 knopen was, was tijdens de nachtoversteek deze snelheid nooit vereist, daar ze anders te vroeg binnen kwamen voor de vertrektijden van de treinen volgens de dienstregeling.

Omdat de schepen van de Great Eastern bekend stonden om hun comfortabele hutruimten, was het niet verwonderlijk, dat bij het afstoten van deze schepen, rederijen op het continent probeerden ze te verwerven voor verder gebruik. Zowel de *Ipswich* als de *Norwich* werd in het midden van de jaren negentig van nieuwe ketels voorzien, waarna ze nog tot 1905 mee konden. Daarna werden ze verkocht naar resp. India en Portugal. De voormalige *Norwich* stak later de Atlantische Oceaan over naar Argentinië en beëindigde haar dagen in Mexico.

Frank Haalmeijer collection

De *Felixstowe* aan de Parkkade in Rotterdam in 1925.

The *Felixstowe* at Rotterdam Parkkade in 1925.

SCREW SHIPS

Earle's of Hull had enjoyed increasing patronage of the Great Eastern and they were now rewarded by the order of a pair of reciprocating screw steamers intended to cope with the expected increase of traffic following the opening of Parkeston Quay.

The iron-hulled sisters very much set the trend for the remainder of the ships built for the Victorian fleet, although each of the subsequent vessels was a modified and enlarged version of the basic design.

Not only were the *Ipswich* and the *Norwich* the first reciprocating steamers for the Continental service but they were the first to carry local names served by the company. They were launched in March and May 1883 and entered service in July and October. Their accommodation was for 84 in the First Class and 42 in the Second. Gross tonnage was 1065 and dimensions were 260 ft. by 31 ft. Service speed was about 14 knots, although as the crossing was by night, high speeds were never required, as little was gained by arriving at the port either too early or too long before the timetabled departure of the connecting trains.

As all the Great Eastern ships boasted comfortable cabin space, it was not surprising that on their demise, continental shipping companies should snap them up for further trading. Both the *Ipswich* and *Norwich* were reboilered in the mid-nineties and remained in work until 1905 when they were sold to India and Portugal respectively. The former *Norwich* later crossed the Atlantic Ocean

G.E.Langmuir collection

De *St.George* was het tweede schip, dat na de Eerste Wereldoorlog werd aangekocht en wel ter vervanging van de verloren gegane *Copenhagen*. Ze was het snelste schip van Great Eastern.

The second vessel purchased after the First World War to replace the lost turbine *Copenhagen* was the *St. George*. She was the Great Eastern's fastest ship.

G.E. Langmuir collection

Samen met de *Amsterdam* heropende de *Archangel* (ex *St.Petersburg*) na de oorlog de dienst naar Hoek van Holland.

The *Archangel* (originally *St. Petersburg*) restarted the Hook service after the war with the *Amsterdam*.

De volgende twee stoomschepen waren 20 voet (ruim 6 meter) langer dan het oorspronkelijke stel en ze waren gebouwd van staal. De *Cambridge* werd in oktober 1886 te water gelaten, terwijl de *Colchester* drie jaar later volgde. Ruim 730 passagiers konden er in twee klassen vervoerd worden. Beiden begonnen hun diensten op de route naar Antwerpen, doch spoedig daarna werden ze naar de Rotterdam route overgeplaatst. Ze losten de oude stoomraderschepen *Zealous* en *Pacific* af. De *Cambridge* bleef dienst doen tot november 1911 (toen ze verkocht werd naar Turkijë, alwaar ze gesloopt werd in 1937, 51 jaar oud), terwijl de *Colchester* minder fortuinlijk was.

Een eenling volgde, die als *Chelmsford* in de vaart kwam en ruim 20 voet (ruim 6 meter) langer was dan de voorgaande twee met een bruto inhoud van 1635 ton. Zij werd op 21 februari 1893 te water gelaten en kwam vier maanden later in dienst. Dit viel samen met de opening van de nieuwe ligplaats in Hoek van Holland.

HOEK VAN HOLLAND

De lang verwachte spoorlijn naar Hoek van Holland werd goedgekeurd op 28 mei 1893 en op de dag daarvoor verzamelden meer dan 100 heren van de pers zich op Parkeston Quay na hun aankomst per trein vanuit

to Argentina before ending her operating days in Mexico.

The next pair of steamers were 20 feet longer than the original pair and were constructed of steel. The *Cambridge* was launched in October 1886 while the *Colchester* followed three years later. As many as 730 passengers in two classes were carried and although they both commenced their careers on the Antwerp route, they were both soon switched to the Rotterdam link.

These new ships saw off the ageing paddle steamers *Zealous* and *Pacific* and whereas the *Cambridge* remained in service until November 1911 (before being sold to Turkey and both being scrapped until 1937 – her 51st year), the *Colchester* was not so fortunate.

A single ship, the *Chelmsford*, followed and was some 20 feet longer than the previous twins with a gross tonnage of 1635. She was launched on 21st February 1893 and entered service four months later to coincide with the opening of the new port at the Hook of Holland.

HOOK OF HOLLAND

The long awaited railway duly arrived at the Hook of Holland on 28th May 1893, and on the previous day, over a hundred gentlemen of the press gathered at Parkeston Quay after

In de twintiger jaren was de *Roulers*, de voormalige *Vienna* (1894), verbonden met de zomerdienst naar Zeebrugge.

Formerly the *Vienna* (1894), the *Roulers* was associated with the summer Zeebrugge services in the twenties.

G.E. Langmuir collection

Ferry Publications Library

Een proeftochtfoto van de *Bruges*, die de tweede was van een serie van drie schepen, vernoemd naar Belgische plaatsen en gebouwd in 1920-21 voor de dienst naar Antwerpen.

A trials picture of the *Bruges* which was the second of the three Belgian-named ships built in 1920-21 for the Antwerp service.

London (Liverpool Street).

Zij werden aan boord van de *Chelmsford* rondgeleid, die kort daarna vertrok voor een 6 uur durende cruise. Zij konden zich niet aan de indruk onttrekken, dat haar interieur schitterend was afgewerkt met esdoorn- en satijnhout. Op de terugweg naar Parkeston Quay nodigde de Continental Traffic Manager van de Great Eastern Railway, de Heer Gooday, de gehele bemanning uit om met hem een feestmaal bij te wonen.

Op 1 juni vond de openingsceremonie plaats in Hoek van Holland. De *Chelmsford* kwam 30 minuten te vroeg aan, om 05.30 uur en ontscheepte haar passagiers, voordat ze doorvoer naar Rotterdam (Westerkade) om de lading te lossen. Treinen, versierd met zowel de Engelse als de Nederlandse vlag vertrokken naar Amsterdam om 07.08 en naar Rotterdam om 07.16 uur. Twee internationale treinen, de 'Noord Express' en de 'Zuid Express' vertrokken ook naar Berlijn en Bazel. Later op die dag meerde de *Cambridge* af in Hoek van Holland, opweg van Rotterdam naar Harwich, om passagiers in te schepen voor Engeland.

In de dienstregelingen uit die tijd stond

their arrival by train from London (Liverpool Street). They were shown aboard the new *Chelmsford* which shortly afterwards embarked on a 6-hour cruise and could not have failed to be impressed with her interior which was finished in maple and satinwood. On the return to Parkeston Quay, the Great Eastern's Continental Traffic Manager, Mr. Gooday, invited all the crew to join him in a celebration dinner.

On 1st June the opening ceremony took place at the Hook of Holland. The *Chelmsford* duly arrived thirty minutes early at 05.30 hours and disembarked her passengers before continuing to Rotterdam (Westerkade) to unload her cargo. Trains, decorated with both the British and Dutch flags, duly left for Amsterdam at 07.08 and Rotterdam at 07.16. Two international trains, the 'Noord Express' and the 'Zuid Express', also left for Berlin and Basle. Later that day the *Cambridge* berthed at the Hook of Holland, on passage between Rotterdam and Harwich, in order to embark passengers for England.

The timings of the period showed the Continental Boat Express leaving London

K.L.M. Luchtfotografie Schiphol neg number 02122

De *St.George* langs de kade in Hoek van Holland in juli 1923.

The *St. George* alongside the Hook of Holland in July 1923.

G.E. Langmuir collection

Een opname van de *Antwerp*, genomen in het begin van de twintiger jaren.

A view of the *Antwerp* taken in the early twenties.

de 'Continental Boat Express', die om 20.00 uur uit Londen (Liverpool Street) vertrok, met een aankomsttijd in Hoek van Holland om 05.50 uur op de volgende morgen. Amsterdam werd bereikt om 08.26 uur en Berlijn om 22.36 uur.

De *Chelmsford* heeft 17 jaren dienst gedaan op de route vanuit Harwich, voordat ze verkocht werd aan de Great Western Railway, die haar als *Bretonne* op de dienst Plymouth – Nantes gebruikte. Na één jaar werd de dienst beëindigd en het schip werd weer verkocht, dit keer naar Griekenland, waar ze nog tot 1933 dienst heeft gedaan.

In 1894 bouwde Earle's of Hull een drietal schepen, welke de laatste drie raderschepen van de route zouden gaan vervangen, te weten de *Princess of Wales*, *Adelaide* en *Claud Hamilton*.

De nieuwe schepen waren de eersten, die namen kregen van steden op het vasteland, waarnaar het nu mogelijk was via de Hoek van Holland route te reizen. Hoewel de Engelse plaatsnamen van de Great Eastern werden aangehouden voor de vrachtschepen, gaf het nieuwe beleid voor naamgeving van de passagiersschepen aan, dat het een vooruitziende maatschappij was, wier horizon zich ver buiten de vlakke velden van Oost Engeland uitstrekte.

Elk schip kostte ongeveer £75.000, de

(Liverpool Street) at 20.00 hours, with arrival at the Hook of Holland at 05.50 the following morning. Amsterdam could be reached at 08.26 and Berlin at 22.36.

The *Chelmsford* lasted seventeen years on the Harwich route before being sold to the Great Western Railway who used her, as the *Bretonne,* on their Plymouth – Nantes service. After one year the service was closed and the vessel was resold to Greece where she served until 1933.

In 1894, Earle's of Hull built a trio of ships which were to replace the route's final three paddle steamers, the *Princess of Wales, Adelaide* and *Claud Hamilton.*

The new ships were the first to be given the grander names of continental cities to which it was now possible to travel via the Hook of Holland route. Although the homely Great Eastern names were retained for the cargo steamers, the new naming policy for the passenger fleet demonstrated an outward-looking company whose horizons stretched far beyond the flat fields of East Anglia.

Each costing some £75,000 to build, the first ship of the trio – named *Berlin* – arrived early in 1894, followed by the *Amsterdam* and the *Vienna* in October. Their hulls were divided into eight watertight compartments while passenger accommodation was spaced over three decks. An entrance hall, luxury cabins, the ladies' cabin and the dining room were situated on the main deck, while extra cabins were fitted one deck below. The First Class accommodated some 218 passengers, while the Second Class, situated at the stern and the after 'tween deck, accommodated an extra 120 persons. Bunker capacity was for about 150 tons of coal and the ships consumed about 4 tons of coal each hour. The machinery of the three new ships was

G. Monteny

De *Malines* onderweg naar Antwerpen op de Schelde in het begin van de jaren dertig.

The *Malines* underway on the River Schelde to Antwerp in the early thirties.

eerste van de drie werd *Berlin* genoemd en kwam begin 1894 in dienst, gevolgd door de *Amsterdam* en de *Vienna* in oktober. Hun romp was verdeeld in acht waterdichte compartimenten, terwijl de passagiers accomodatie was verdeeld over drie dekken. Een entree hal, luxe hutten, de 'ladies cabin' en de eetsalon waren gelegen op het hoofddek, terwijl extra hutten op het dek eronder lagen. De 1e klas accomodatie kon 218 passagiers herbergen en de 2e klas, welke in het achterschip en de achter tussendekken was, nog eens 120. In de bunkers konden 150 ton kolen worden opgeslagen, terwijl het schip een verbruik had van ongeveer 4 ton kolen per uur. De machines van de drie nieuwe schepen waren identiek aan die van de *Chelmsford*, maar zij waren iets breder en konden daardoor vijftig passagiers extra meenemen.

In Vlissingen zorgden de uitstekende spoorverbindingen ervoor, dat de concurrerende dienst naar Engeland zich goed bleef ontwikkelen, maar na de opening van Hoek van Holland in 1893, begon de Stoomvaart Maatschappij Zeeland de hardere concurrentie te voelen. De Great Eastern Railway kreeg in 1898 het postcontract voor post vanuit Engeland, maar de Stoomvaart Maatschappij Zeeland behield het in 1876 verworven postcontract voor post vanuit Nederland. Als antwoord op de drie nieuwe schepen van de Great Eastern, introduceerde de SMZ in 1895 drie snelle raderschepen op de verbinding naar Queenborough, maar de concurrenten bestonden over het algemeen zonder elkaars bestaan echt in gevaar te brengen.

DE RAMP MET DE BERLIN

Het meest tragische ongeval, dat op de Harwich – Hoek van Holland dienst heeft plaats gevonden, overkwam de *Berlin*. Op donderdag 21 februari 1907, een half uur gaande voor Hoek van Holland, om ongeveer 05.15 uur, werd ze op de kop van de noorderpier, in de mond van Nieuwe Waterweg, gesmeten. Het was een verschrikkelijke oversteek geweest in de noordwester storm en de passagiers vonden de lichten van de Hoek van Holland in de verte meer dan een gebruikelijke uitnodiging.

Henry Maxwell collection

De prachtige *Mecklenburg* (1922) van SMZ deed de eerste afvaart van Vlissingen naar Harwich op Nieuwjaarsdag 1927.

SMZ's handsome *Mecklenburg* (1922) operated the first Flushing – Harwich sailing on New Year's Day 1927.

similar to that of the *Chelmsford* but they were wider in the beam and carried fifty extra passengers.

At Flushing, the excellent rail connections saw the rival service to England continuing to thrive but after the opening of the Hook of Holland in 1893, the Zeeland Steamship Company began to feel the pinch of competition. The Great Eastern Railway won the mail contract for mails from England in 1898 but the Zeeland Steamship Company retained the Dutch mail contract which it had held since 1876. In response to the Great Eastern's three new steamers, in 1895 it had introduced three fast new paddle steamers onto its Queenborough link, but by and large the rivals existed without ever seriously endangering the existence of each other.

THE BERLIN DISASTER

The most tragic incident that the Harwich – Hook of Holland service has ever experienced sadly befell the *Berlin*. Half an hour off the Hook of Holland at about 05.15 hours on Thursday 21st February 1907 she was swept

Henry Maxwell

Een blik aan dek van de *St.George* langszij Parkeston Quay in 1929, het laatste jaar dat ze dienst deed.

A deck view of the *St. George* while alongside at Parkeston Quay in 1929 – her final year in service.

Ferry Publications Library

In april 1929 gaat de *Vienna* te water bij John Brown's Clydebank scheepswerf, als eerste van een serie van drie schepen bestemd voor de Hoek-dienst.

Down the ways at John Brown's Clydebank yard in April 1929 goes the *Vienna*, the first of a trio of steamers for the Hook service.

Na haar stranding werd de ongelukkige *Berlin* door zware zeeën gebeukt en duurde niet lang voordat ze begon te breken, waarna het voorschip zonk. De stranding was gezien vanuit de Hoek van Hollandse semaphore (op de plaats van het huidige radarstation). De reddingboot voer onmiddellijk uit ter assistentie. Hoewel ze om 06.30 uur de gestrande *Berlin* wist te bereiken, kon ze vanwege de slechte weersomstandigheden niets uitrichten en later moest ze door technische problemen terugkeren naar de veilige haven. Terwijl de zeeën constant op het overgebleven deel van het schip braken, werden steeds meer doorweekte en angstige passagiers weggeslagen door de koude en zware zeeën. Zo zijn 128 personen verdronken en slechts 15 gelukkigen gered, toen zij de volgende dag van de pier konden worden gehaald.

Het vrachtschip *Clacton* was kort na de

onto the end of the North Pier at the entrance of the New Waterway. The crossing had been quite appalling in NW storm force winds and passengers must have found the distant lights of the Hook of Holland more than usually inviting.

Following her stranding, the poor *Berlin* was lashed by the full force of the sea and it was not long before she began to break up, and her forward part sank. The grounding was sighted from the signal station at the Hook of Holland (on the site of the present radar station) and the lifeboat was immediately sent out to assist. Although it managed to reach the stricken *Berlin* at about 06.30, conditions were so bad that it was unable to approach, and mechanical problems later forced her back into the safety of harbour. As the weather continued to break upon the broken remains of the steamer, so more and more wet and frightened passengers were swept away by the cold and cascading seas. Although 128 were lost, 15 people amazingly survived when on the following day they were able to be rescued from the pier itself.

The cargo steamer *Clacton* had left Harwich shortly after the *Berlin* had sailed and encountered her wreck at 08.00 hours. Such were the sea conditions that the

Een groots aanzicht van de *Vienna* op volle snelheid tijdens de proefvaart in de Firth of Clyde.

A majestic-looking *Vienna* seen at speed during trials in the Firth of Clyde.

G.E. Langmuir collection

Frank Haalmeijer collection

De *Prague* afgemeerd aan het oostelijk uiteinde van Parkeston Quay, direkt na de Tweede Wereldoorlog.

The *Prague* moored alongside the far eastern end of Parkeston Quay immediately after the Second World War.

Berlin uit Harwich vertrokken en passeerde het wrak om 08.00 uur. Door de slechte weersomstandigheden kon ook de gezagvoerder van de *Clacton* niet assisteren uit angst, dat ook zijn schip op de pier geslagen zou worden.

De gezagvoerder van de *Berlin*, kapitein Precious, werd aansprakelijk gesteld voor het ongeluk. Hij was geadviseerd om niet te varen, maar het was typisch iets voor hem om het dan toch te doen. Het is nog steeds het ergste ongeval uit de geschiedenis van de route.

Eind 1990 zijn nog twee ketels geborgen van de *Berlin* tijdens baggerwerkzaamheden nabij het oude noorderhoofd. Eén van de vuurdeuren en enkele stukken kool uit de stookgangen zijn heden tentoongesteld in het plaatselijke reddingmuseum in Hoek van Holland.

De twee zusterschepen zijn ook betrokken geweest bij strandingen. Op 22 augustus 1906 strandde de *Amsterdam* op de noorderpier te Hoek van Holland tijdens dichte mist. De volgende dag werd ze vlot getrokken met behulp van verschillende sleepboten en het vrachtschip *Clacton*, dat direkt na het vlottrekken van het passagiersschip, zelf aan de grond liep!

De *Vienna* kwam op 18 januari 1908 in moeilijkheden, toen ze in dichte mist op de Maasvlakte aan de grond liep, terwijl vijf dagen later, eveneens in dichte mist, de *Amsterdam* in aanvaring kwam met het voor anker liggende Amerikaanse schip *Axminster*. De aanvaring gebeurde nabij het lichtschip *Maas*, dat voor de ingang van de Nieuwe Waterweg lag. De *Amsterdam* begon water te maken en daarom werden de passagiers overgezet op de *Axminster* en vandaar naar

Clacton's Captain could not assist through fear of his own ship being swept onto the mole.

The *Berlin's* master, Captain Precious, was blamed for the disaster. He had been advised not to sail but it was typical of him that he did. It remains the worst ever disaster in the history of the service.

At the end of 1990, two steam boilers from the *Berlin* were salvaged during dredging works near the North Pier. One of the firedoors and some pieces of coal found in the furnace are presently on display in the local Lifeboat Museum in the Hook of Holland.

The other two 1894 sisters were also involved in groundings. On 22nd August 1906, the *Amsterdam* had run onto the North Pier at the Hook of Holland during dense fog. She was refloated the next day with the aid of several tugs and the cargo steamer *Clacton* which, after helping to free the stranded passenger ship, promptly ran aground herself!

The *Vienna* was in trouble on 18th January 1908 when she ran aground on the Maasvlakte during dense fog while five days later, again in thick fog, the *Amsterdam* collided with the anchored American ship *Axminster*. The collision occurred near the Maas lightship which was located off the entrance to the New Waterway. The *Amsterdam* started taking in water and so passengers were transferred to the *Axminster* and then to a pilot vessel which landed them at the Hook of Holland. The passenger steamer was drydocked in Rotterdam after discharging her cargo at the Hook of Holland and the *Vienna* crossed light from Harwich to take over.

Collection Nationaal Veerdienstmuseum Hoek van Holland

Deze interieur foto's van de 1e klas ingang op het promenadedek en de 1e klas rooksalon op de *Prague*, geven duidelijk de pracht van dit type schip aan.

These interior views of the *Prague's* First Class Entrance on the Promenade Deck and First Class Smoking Room amply illustrate the splendour of this class of vessel.

een loodsboot, die hen in Hoek van Holland aan wal bracht. Het passagiersschip werd na lossing in Hoek van Holland gedokt in Rotterdam, terwijl de *Vienna* leeg vanuit Harwich kwam om de dienst over te nemen.

Alle schepen van de Great Eastern hebben wel eens dienst gedaan op de route Harwich – Antwerpen. Op 19 januari 1911 kwam de *Vienna* in aanvaring met de Blue Funnel Liner *Patroclus* op de Schelde. Ofschoon haar achterschip zwaar beschadigd was, was ze toch in staat om naar Harwich terug te keren.

Het laatste passagiersschip, dat Earle's of Hull voor de Great Eastern Railway bouwde, was de *Dresden* uit 1897. Ze werd in november te water gelaten en had een hogere brug dan de voorgaande schepen. Zij is de geschiedenis in gegaan als het schip, waarop de wereldberoemde Duitse ingenieur Dr. Rudolph Diesel reisde in oktober 1913, toen hij op mysterieuze manier verdween en men vermoedde, dat hij overboord is gevallen.

Tot dat ogenblik had de dienst op Antwerpen meestal tweedehands schepen in dienst, die niet langer op de Hoek van Holland route nodig waren, maar in 1902 werd dit doorbroken met de te waterlating van een nieuw schip bij Gourlay of Dundee. Dit schip werd gebouwd aan de Tay, daar Earle's of Hull geen ruimte had om de order uit te voeren. Ze werd het laatste schip met stoomzuigermachines van de Harwich vloot. Dit was de bekende *Brussels*, die van tijd tot tijd als aflosschip op de Hoek van Holland route voer en die tijdens de Eerste Wereldoorlog de aandacht van het Engelse publiek trok.

Ook in het jaar 1902 werd de 812 bruto registerton metende *Cromer* door Gourlay opgeleverd. Een duidelijk bewijs van de afnemende vrachtruimte op de passagiersdienst, die toen alle records brak. De *Cromer*

All the Great Eastern's ships at one time or another served the Harwich – Antwerp link and on 19th January 1911, the *Vienna* was in collision with the Blue Funnel Line's *Patroclus* in the River Schelde. Although her stern was badly damaged, she managed to return to Harwich.

Earle's last passenger vessel for the Great Eastern Railway was the *Dresden* of 1897. She was launched in November and boasted a higher bridge than the previous ships. She has gone down in history as the ship in which the world-famous German marine engineer Dr. Rudolph Diesel was travelling in October 1913 when he mysteriously disappeared and was assumed lost overboard.

Up until now, the Antwerp service had mainly received its tonnage as secondhand vessels no longer required on the Hook of Holland crossing, but in March 1902 a vessel was launched by Gourlay of Dundee which was to change this policy. The vessel was built on Tayside as at that time Earle's of Hull had a full order book and she was to be the Harwich fleet's last reciprocating steamer. This was the famous *Brussels* which from time to time did operate to the Hook of Holland on relief sailings and which during the Great War captured the imagination of the British public.

The year 1902 also saw Gourlay deliver the 812 gross ton cargo steamer *Cromer*, ample evidence of the decreasing space for freight on the passenger service which was, by this time, breaking all records. So successful was the *Cromer* that the *Yarmouth* followed in 1903, while Earle's delivered the *Clacton* and the *Newmarket* in 1904 and 1907.

was zo succesvol, dat in 1903 de *Yarmouth* werd opgeleverd, terwijl Earle's of Hull de *Clacton* en de *Newmarket* opleverde in 1904 en 1907.

De *Yarmouth* was het mysterieuze schip van de route. Op 27 oktober 1908 om 10.30 uur vertrok ze onder commando van kapitein Avis uit Hoek van Holland met 430 ton stukgoed (inclusief 192 ton vlees), drie kisten met meubelen aan dek en een passagier, die zich waarschijnlijk niet zo prettig heeft gevoeld in de eenvoudige scheeps-accomodatie.

De *Yarmouth* werd later gezien bij het passeren van het lichtschip *Outer Gabbard* met zware slagzij, maar nog niet genoeg voor de gezagvoerder om hulp in te roepen. Wat er precies gebeurd is, is niet bekend – het is genoeg om te zeggen, dat het schip nooit meer gezien is. Nadat ze niet op tijd in Harwich was aangekomen, werd de *Vienna* erop uit gestuurd om te gaan zoeken, evenals *HMS Blake*. Dicht bij het lichtschip *Outer Gabbard* hadden zij wat wrakhout en reddinggordels gevonden, tesamen met een lijk.

In 1903 werd in Hoek van Holland de nieuwe Amerikasteiger geopend, op de plaats waar nu de Stena Line terminal is gevestigd. De steiger was gebouwd op ijzeren schroefpalen, had een houten dek en werd gebruikt door de trans-Atlantische passagiersschepen van de Holland Amerika Lijn. In die tijd was de waterdiepte in Rotterdam voor deze schepen niet voldoende om bij elke waterstand te kunnen afmeren. Nu konden de passagiers ontscheept worden in Hoek van Holland en de schepen konden bij voldoende water de rivier opvaren om hun lading te lossen. Toen na de Eerste Wereldoorlog de rivier verder was uitgediept, meerden de passagiersschepen niet meer af in de Hoek van Holland. In 1932 nam een stuwadoor, 'New Fruit Wharf' genaamd, de steiger met de grote loods erop over en in

Henk van der Lugt collection

De *Antwerp* als troepenschip voor de kade te Hoek van Holland na de oorlog.

The *Antwerp* as a troopship alongside at the Hook after the War.

The *Yarmouth* was the route's mystery ship. On 27th October 1908, she left the Hook of Holland under the command of Captain Avis at 10.30 hours with 430 tons of cargo (including 192 tons of meat), three furniture vans on deck and one passenger who could not have enjoyed the rather spartan atmosphere experienced on board.

The *Yarmouth* was later seen passing the Outer Gabbard light vessel listing badly but not enough for her Master to call for assistance. Just what happened is not known – suffice to say that the ship was never seen again. After she failed to arrive at Harwich, the *Vienna* was sent to look for her and H.M.S. *Blake* also took up the search. Close to the Outer Gabbard light they discovered some wreckage and lifebelts together with a single body.

At the Hook of Holland in 1903, the new America Wharf was opened on the site of the present Stena Line passenger terminal. It was constructed by using iron screw piles and wooden decking and was used by the trans-Atlantic liners of the Holland America Line. In those days the depth of water at Rotterdam was not sufficient for them to berth at all states of the tide and so passengers would be disembarked at the Hook of Holland and the ships would sail up river on the tide to discharge cargo. When, after the First World War, the river was deepened, the liner traffic ceased calling at the Hook of

Frank Haalmeijer collection

Een opname van de haven van Vlissingen met de *Oranje Nassau*, net voor het uitbreken van de Tweede Wereldoorlog.

A view of the port of Flushing with the *Oranje Nassau* just before the outbreak of the Second World War.

De *Mecklenburg* in de na-oorlogse staat zonder achtermast.

The *Mecklenburg* in her post war state without a mainmast.

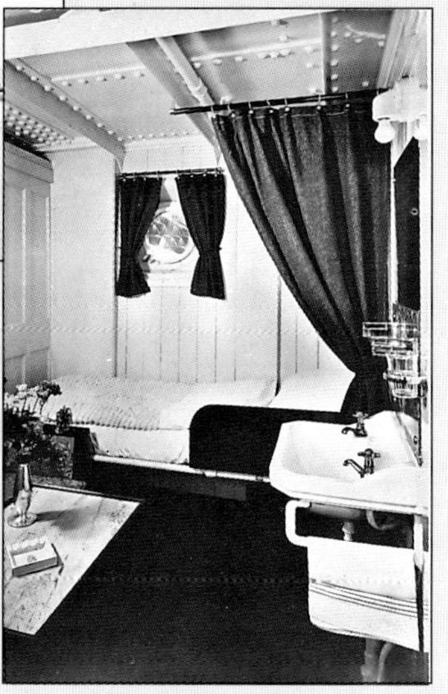

Een 1e klas hut.

A First Class Cabin

HARWICH 1893 100 1993 YEARS HOOK OF HOLLAND

De bar op het promenadedek.

Lounge Bar on Promenade deck

Eetsalon

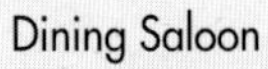

Dining Saloon

Ontvangsthal

Entrance Foyer

Uitzicht op het achterdek

A view looking aft

De machinekamer

Engine Room

Photos Frank Haalmeijer collection

G.E.Langmuir collection

Aan de afbouwkade in Clydebank ligt de *Amsterdam*, die in april 1930 in dienst kwam. Op de achtergrond ligt de *Empress of Britain* van de Canadian Pacific op de helling.

In fitting-out basin at Clydebank is the *Amsterdam* which finally took up service in April 1930. Canadian Pacific's *Empress of Britain* is on the stocks beyond.

1933 was Hoek van Holland Europa's grootste importhaven voor fruit. Treinen tot wel veertig wagons verlieten regelmatig het station voor diverse bestemmingen en dit ging zo door tot 1939.

Na de oorlog meerden de troepenschepen af aan wat toen bekend stond als de 'Fruit steiger' en de loods werd een militaire kantine. Op 1 november 1956 gingen de loods en het houten dek door een brand verloren, maar deze werden vervangen. De 'Fruit steiger' werd in 1980 gesloopt en thans is de huidige ligplaats van de Stena Line op dezelfde plaats.

VOORTDURENDE VOORUITGANG

De Harwich – Hoek van Holland route werd in 1904 aangepast door het aanlopen van Rotterdam af te schaffen en als gevolg daarvan werden de *Norwich* en de *Ipswich* verkocht. Rotterdam bleef toen de aanloophaven voor de vrachtdienst en dit is doorgegaan tot 1968, toen die werd vervangen door een gezamelijke containerdienst van British Rail en SMZ. Deze dienst werd bëeindigd in 1973.

De vrachtschepen bleven tot 1933 de Parkkade gebruiken, waarna ze een nieuwe aanlegplaats kregen in de Merwehaven. Daar deze tijdens de oorlog werd verwoest, werd er

Holland. In August 1932 a stevedore called 'New Fruit Wharf' took over the wharf and its large warehouse and by 1933 the Hook of Holland was Europe's largest importer of fruit. Trains of up to forty wagons regularly left the station for various continental destinations and this continued until the outbreak of war in 1939.

After the war the now named 'Fruit Wharf' was used by the troopships and the shed became a N.A.A.F.I. A fire on 1st November 1956 destroyed both decking and former warehouse but these were replaced. It was not until 1980 that the Fruit Wharf was demolished, although the present Stena Line berth stands on this same site.

CONTINUED PROGRESS

During 1904, the Harwich – Hook of Holland service was modified by removing the call at Rotterdam and in consequence of this both the *Norwich* and *Ipswich* were sold. Although Rotterdam still remained as the terminal of the cargo ship service, this was terminated in 1968 when it was replaced by a joint British Rail/SMZ container service. This was closed in 1973.

The freight ships continued to use the Parkkade until 1933 when they moved to a new terminal in Merwehaven. As this was destroyed in the war a temporary berth was

Ferry Publications Library

Hier ziet u het shelterdek van de *Vienna* in het begin van 1936, tijdens de verbouwing voordat het weekend cruises programma aanving.

Early in 1936 the *Vienna's* shelter deck is seen in the course of being extended in readiness for her weekend cruise programme.

Een overzicht van Parkeston Quay tussen de oorlogen in, op het moment dat de Vlissingse dagboot *Mecklenburg* ontmeert alvorens de Stour af te varen naar zee.

An inter-war scene at Parkeston Quay as the day Flushing steamer *Mecklenburg* pulls away prior to heading down the Stour towards the open sea.

tijdelijk een ligplaats in de Lekhaven gebruikt, totdat de vooroorlogse kade in 1950 weer in gebruik genomen kon worden. De kortstondige containerdienst maakte gebruik van de Europe Container Terminal in de Margriethaven.

In 1903 introduceerde de South Eastern & Chatham Railway 's werelds eerste turbine aangedreven Kanaal veerboot op de dienst tussen Dover en Calais. De andere spoorwegmaatschappijen volgden spoedig en de Great Eastern Railway was zeker niet de laatste om de voordelen van deze voortreffelijke manier van voortstuwen te zien.

De deskundigheid bezat men aan de Clyde in Schotland. De werven aan de oostkust, waar de Great Eastern lang een trouwe klant was, zijn nooit meer gevraagd grotere passagiersschepen voor de Noordzee diensten te bouwen.

De werf, waarin Harwich nu zijn vertrouwen stelde en dit voor meer dan vijftig jaar zou doen, was die van John Brown in Clydebank, een naam die misschien meer bekend is door de bouw van de kolossale Cunard-schepen *Queen Mary*, *Queen Elizabeth* en *Queen Elizabeth 2*, alsmede de trots van de Engelse Marine *HMS Hood* en het huidige koninklijke jacht *Britannia* (waarvan de romp is gebaseerd op de tekeningen van de na-oorlogse Harwich-boot *Arnhem*).

De eerste turbineschepen van de Great Eastern werden allemaal apart besteld en *Copenhagen*, *Munich* en *St. Petersburg* genoemd. Zij werden te water gelaten aan de Clyde in oktober 1906, augustus 1907 en april 1910 en waren de eerste schepen voor de dienst met drie schroeven.

Bij hun in dienst stelling in januari 1907, juni 1908 en juli 1910, werden de oude *Chelmsford* en *Cambridge* afgestoten. Voor de Eerste Wereldoorlog werd nog een vierde schip besteld.

Dit is het schip, dat nooit in dienst

Ferry Publications Library

used in Lekhaven until the pre-war terminal was reopened in 1950. The short-lived container service was based at the Europe Container Terminal in Margriethaven.

In June 1903, the South Eastern & Chatham Railway had introduced the world's first turbine driven cross-Channel steamer onto the Dover – Calais route. Other railway companies soon followed and the Great Eastern was not slow to see the advantages of this superior form of propulsion.

The expertise was on the River Clyde in Scotland, and the east coast yards to which the Great Eastern Railway had remained loyal for so long were never again asked to build major passenger units for the North Sea link.

The yard in which Harwich now placed its faith and future for over fifty years was John Brown's at Clydebank, a name better known perhaps for being responsible for the construction of the mighty Cunarders *Queen Mary, Queen Elizabeth* and *Queen Elizabeth 2* in addition to the pride of the Royal Navy *H.M.S. Hood* and the present Royal Yacht *Britannia* (whose hull was based upon the plans for the post-war Harwich steamer *Arnhem*).

The Great Eastern's first turbine steamers were all ordered separately and named the *Copenhagen, Munich* and *St. Petersburg.* They

Een foto van de *Vienna* als troepenschip.

A view of the *Vienna* as a troopship.

Ferry Publications Library

Frank Haalmeijer collection

De *Prague* als hospitaalschip.

The *Prague* as a Hospital Ship.

kwam, want tijdens de bouw, in februari 1917, werd het overgenomen door de Royal Navy. Dit schip was uitgerust met turbines met enkele tandwiel-vertraging, in tegenstelling tot de direkt gekoppelde turbines op de eerdere schepen. Hoewel te water gelaten onder haar voorgenomen naam *Stockholm*, werd ze vier maanden later, eind augustus, herdoopt in *Pegasus* en tevens afgebouwd als vliegdekschip en uiteindelijk in 1931 afgevoerd.

Daar Parkeston Quay meer verkeer aantrok dan het aankon, werd in november 1906 begonnen met een uitbreiding van 300 meter in westelijke richting, die uiteindelijk in 1910 in gebruik genomen kon worden.

DE GREAT EASTERN IN OORLOGSTIJD

Op 4 augustus 1914 werd het Keizerlijke Duitsland de oorlog verklaard, waarna de Duitse Ambassadeur en zijn staf naar huis terugkeerden via Hoek van Holland met de *St. Petersburg*. Op de terugreis van dit schip naar Harwich, werd de Engelse Ambassadeur uit Berlijn meegenomen. Parkeston Quay werd onmiddellijk overgenomen door de

went down the ways into the Clyde in October 1906, August 1907 and April 1910 and were the first ships for the service with triple screws.

On their entry into service in January 1907, June 1908 and July 1910, the old *Chelmsford* and *Cambridge* were withdrawn and before the First World War a fourth ship was ordered.

This is the ship that never was, for while under construction at Clydebank, in February 1917, she was taken over by the Royal Navy. She was built with geared turbines (single reduction) against the direct drive turbines of the earlier ships. Although launched with her intended name of *Stockholm*, four months later, at the end of August, her name was changed to *Pegasus* and she was converted for use as an aircraft carrier until her demise in 1931.

With Parkeston Quay now attracting more traffic than it could comfortably handle, work had previously started in November 1906 on building a western extension of over 300 metres which was finally opened in 1910.

THE GREAT EASTERN AT WAR

War was declared with the Kaiser's Germany on 4th August 1914, the German Ambassador and his staff returning home via the Hook of Holland in the *St. Petersburg*. On the return voyage, the British Ambassador in Berlin sailed for Harwich. Parkeston Quay was immediately taken over by the British Admiralty and the Hook of Holland service was transferred to Tilbury on

De *Prinses Beatrix* in Regeringsdienst na de oorlog.

The *Prinses Beatrix* in Government service after the Second World War.

G.R. van Veldhoven collection

Henk van der Lugt collection

De eerste aankomst na de oorlog van de *Prague* in Hoek van Holland op donderdag 15 november 1945.

The first post war arrival of the *Prague* at the Hook of Holland on Thursday 15th November 1945.

Britse Admiraliteit en de dienst naar Hoek van Holland werd verplaatst naar Tilbury aan de Thames. Hoewel de dienst werd gestaakt na de invasie van België, werd deze weer hervat, nadat er garantie was, dat Nederland neutraal bleef. De dienst naar Antwerpen werd op 9 oktober 1914 gestaakt.

Het was een gevaarlijke tijd voor schepen, die bleven varen. Niet alleen door de onverlichte en ongemarkeerde vaarwegen, maar er waren vele mijnen gelegd. Daarnaast was er altijd de mogelijkheid om te worden aangehouden door eenheden van de Keizerlijke Duitse marine.

the River Thames. Although the service was terminated on the invasion of Belgium, it was reinstated after Dutch neutrality had been guaranteed. The Antwerp link closed on 9th October 1914.

However, it was a dangerous time for the ships which remained. Not only were the channels no longer marked or lit but mines were numerous, and there was always the possibility of being intercepted by units of the Imperial German Navy.

On 11th December 1914, the *Colchester* was ordered to stop by a German submarine which had surfaced alongside when about 20

Henk van der Lugt collection

De *Prague* na de oorlog in Hoek van Holland.

The *Prague* at the Hook of Holland after the war.

Collection of John Carr

Een opname van de *Arnhem* vlak voor de tewaterlating.

A view of the *Arnhem* prior to her launch.

Ferry Publications Library

Op 11 december 1914 kreeg de *Colchester* order te stoppen van een Duitse onderzeeër, die langzij boven water kwam, 20 mijl voor de ingang van de Nieuwe Waterweg. Kapitein Lawrence gaf terecht order 'Volle kracht vooruit' en zijn schip liep op de aanvaller uit. Hij werd later geëerd door zijn superieuren met een gouden horloge en verklaarde, dat hij al zes keer eerder op dezelfde manier aan de vijand was ontvlucht.

Daar het grootste deel van de vloot in beslag was genomen, was de Great Eastern genoodzaakt de vracht/passagiersschepen *Wrexham* (gebouwd in 1902), *Staveley* (gebouwd in 1891) en haar zusterschip *Notts* (gebouwd als *Nottingham* in 1891) van de Great Central Railway te huren.

Van alle Great Eastern schepen was de *Brussels* wel het schip, dat het meest de aandacht van het publiek wist te trekken. Bij het uitbreken van de oorlog was ze niet gevorderd, maar bleef op de route Tilbury – Hoek van Holland varen onder commando van kapitein Charles Fryatt.

Verschillende keren kreeg men vijandelijke eenheden in zicht, maar net zoals met de *Colchester*, stelde alleen haar snelheid de *Brussels* in staat om te ontsnappen. Echter op 28 maart 1915 werd de *Brussels* aangehouden door de onderzeeër U 33 en kapitein Fryatt kreeg order te stoppen.

Zijn reaktie was, de bemanning naar het achterschip te sturen en te proberen de U-boot te rammen. Er werd beweerd, dat het schip de commandotoren van de onderzeeër heeft geraakt, terwijl hij wegdook. Voor zijn moedige en dappere aktie werd Fryatt een nationale held, maar hij was ook een gebrandmerkte man en het was zeker, dat iedere Duitse eenheid in de Noordzee in de toekomst speciaal uitkeek naar de *Brussels*.

miles off the New Waterway. Captain Lawrence duly ordered, 'Full Ahead' and his ship outran the raider. He was later awarded a gold watch by his employers and stated that he had previously been involved in six similar escapes from the enemy.

With most of the fleet requisitioned, the Great Eastern was forced to charter the Great Central Railway's cargo/passenger steamers *Wrexham* (built 1902), *Staveley* (built 1891) and her sistership *Notts* (built as the *Nottingham* in 1891).

Of all the Great Eastern ships it was the *Brussels* which captured the public imagination. At the outbreak of war she had not been requisitioned but was retained on service from Tilbury to the Hook of Holland under the command of Captain Charles Fryatt.

There were a number of occasions when enemy units had been sighted but, as with the *Colchester*, only her superior speed had enabled her to escape. However on 28th March 1915, the submarine U 33 intercepted the *Brussels* and ordered Captain Fryatt to stop.

His response was to order the crew to the

Ferry Publications Library

De *Arnhem* was het laatste schip dat voor de LNER werd gebouwd. Hier ziet u haar tijdens de proefvaart op volle snelheid in het voorjaar van 1947. Let op de grote ramen, die werden vervangen tijdens de verbouwing tot twee klassenschip in 1954.

The *Arnhem* was the last LNER steamer to be built and is seen here at speed during her official trials in Spring 1947. Notice her large windows which were replaced when she became two class in 1954.

Ferry Publications Library

De *Arnhem* op de Clyde, terugkerend van de proefvaart.

The *Arnhem* in the River Clyde returning from trials.

Met deze gedachte werd Fryatt een ander schip aangeboden, maar dat heeft hij geweigerd.

Uiteindelijk hebben de Duitsers hem toch te pakken gekregen en op 23 juni 1916 escorteerden vier torpedojagers de *Brussels* naar de haven van Zeebrugge. De bemanning werd geïnterneerd en Fryatt werd gearresteerd, berecht en later gefusilleerd.

Het schip werd herdoopt in *Brugge* en werd gebruikt als depôtschip voor de Duitse watervliegtuigen, totdat ze in oktober 1917 in de haveningang tot zinken werd gebracht.

Twee jaar later werd ze gelicht en verkocht, waarbij de opbrengst van de verkoop naar een goed doel ging. Het werd geschonken voor de bouw van het Fryatt Memorial Hospital in Harwich.

De *Brussels* werd naar Leith gesleept, waar ze herbouwd werd en voor de rest van haar bestaan vervoerde ze vee op de dienst van

after part of the ship and to attempt to ram the U-boat. It was claimed that the steamer actually clipped its conning tower as it dived. For his courageous and plucky action, Fryatt became a national hero but he was also a marked man and it was certain that every German unit in the North Sea would in future keep a special look out for the *Brussels.* With this in mind, Fryatt was offered another command but this he refused.

Eventually the Germans did catch up with him, and on 23rd June 1916 four destroyers escorted the *Brussels* into Zeebrugge harbour. There her crew were interned while Fryatt was arrested, tried and later shot.

The ship was renamed *Brugge* and was used as a depot ship for German flying boats until she was scuttled at the entrance of the harbour in October 1917.

G. Monteny

De *Arnhem* aan de Parkkade te Rotterdam op 23 mei 1947. Het schip is hier gepavoiseerd vóór haar in dienst stelling op de route Harwich – Hoek van Holland.

The *Arnhem* at Rotterdam, Parkkade on the 23rd May 1947. The ship is seen here dressed overall prior to entering service on the Harwich – Hook of Holland route.

De *Dresden* verlaat de Rotterdamse Parkkade, omstreeks 1904.

The *Dresden* leaving Rotterdam (Parkkade) in about 1904.

Henk van der Lugt collection

Henk van der Lugt collection

De *Mecklenburg* in Hoek van Holland gefotografeerd aan het eind van de jaren 50, met links het troepenschip *Vienna*.

The *Mecklenburg* pictured at the Hook of Holland in the mid-fifties with the troopship *Vienna* on the left.

Henry Maxwell

Het troepenschip *Vienna* langszij Parkeston Quay in maart 1959.

The troopship *Vienna* alongside Parkeston Quay in March 1959.

Collection of John Carr

Een luxe hut op de *Arnhem*.

A Cabin De Luxe on the *Arnhem*.

Frank Haalmeijer collection

Liverpool naar Dublin. Na 1923 kreeg ze het voorvoegsel *Lady*.

Het lot van de vloot van de Great Eastern Railway wordt in het kort hieronder aangegeven:

Colchester	1889	buitgemaakt door de Duitsers 9/1916. Verloren gegaan in de Oostzee 3/1918.
Amsterdam	1894	terug gekomen in de dienst.
Vienna	1894	herdoopt in *HMS Antwerp* tijdens de oorlog. Terug gekomen in de dienst.
Dresden	1897	herdoopt in *Louvain* 10/1915, maar gezonken in de oostelijke Middellandse Zee in 1/1918.
Brussels	1902	buitgemaakt 6/1916. Tot zinken gebracht in Zeebrugge in 10/1917.
Cromer	1902	terug gekomen in de dienst.
Clacton	1906	verloren gegaan in de Middellandse Zee in 10/1917.

Two years later she was raised and sold, the proceeds of her sale going to charity and donated towards the building of the Fryatt Memorial Hospital at Harwich.

The *Brussels* was towed to Leith where she was rebuilt and for the remainder of her career she carried cattle on the Liverpool to Dublin route, after 1923 gaining the prefix, 'Lady'.

The fate of the Great Eastern Railway fleet is briefly outlined here:

Colchester	1889	Captured by Germans 9/1916. Lost in Baltic 3/1918.
Amsterdam	1894	Returned to service.
Vienna	1894	Renamed HMS *Antwerp* during the war. Returned to service.
Dresden	1897	Renamed *Louvain* 10/1915 but sunk in

Op zaterdag 14 juni 1947 opende de *Mecklenburg* de dagdienst tussen Hoek van Holland en Harwich. Rechts op de foto is de nieuwe *Arnhem* van de LNER te zien.

Below left: On Saturday 14th June 1947, the *Mecklenburg* inaugurated the day service between the Hook of Holland at Harwich. To the right of the picture can be seen the LNER's new *Arnhem*.

Henk van der Lugt collection

Na de eerste aankomst van de *Mecklenburg* ontschepen de passagiers in Hoek van Holland.

Below right: Passengers disembarking from the *Mecklenburg* after her first arrival at the Hook of Holland.

Henk van der Lugt collection

Henk van der Lugt collection

De *Prague* in rook en vuur gehuld tijdens de noodlottige dokbeurt in maart 1948.

The *Prague* consumed in smoke and fire during her ill-fated refit in March 1948.

Newmarket	1907	verloren gegaan in de Dardanellen in 7/1916.
Copenhagen	1907	hospitaalschip, getorpedeerd en gezonken voor de Belgische kust in 3/1917.
Munich	1908	herdoopt *St. Denis* in 1916. Terug gekomen in de dienst.
St. Petersburg	1910	terug gekomen in de dienst.

Hieruit blijkt, dat van de elf schepen waar de Great Eastern de oorlog mee inging, er slechts vijf terug kwamen in de dienst. Gelukkig was de Great Central Railway weer in staat om te helpen en een aantal van haar schepen werden gehuurd voor gebruik op de routes vanuit Harwich. Twee hiervan, de *Accrington* en de *Dewsbury*, zouden na de Tweede Wereldoorlog nogmaals verschijnen.

Zoals te zien, werden de Harwich-boten met namen van Duitse steden herdoopt tijdens de oorlog, waarbij de *Dresden* en de *Munich* de vriendelijkere namen *Louvain* (= Leuven) en *St. Denis* kregen. Toen de

		eastern Mediterranean in 1/1918.
Brussels	1902	Captured 6/1916. Scuttled Zeebrugge 10/1917.
Cromer	1902	Returned to service.
Clacton	1906	Lost Levant 10/1917.
Newmarket	1907	Lost Dardanelles 7/1916.
Copenhagen	1907	Hospital ship – torpedoed and sunk off Belgian coast 3/1917.
Munich	1908	Renamed *St. Denis* 1916. Returned to service.
St. Petersburg	1910	Returned to service.

Thus it will be seen that of the eleven ships with which the Great Eastern started the Great War, just five were returned to them for future use. Fortunately the Great Central Railway was again able to assist and a number of their steamers were chartered for use on the Harwich routes, two of which – the *Accrington* and *Dewsbury* – were to reappear after the Second World War.

As has been seen, the Harwich ships which carried the names of German cities

G. E. R.

Stena Sealink Line Collection

Uiterst links: De 1e klas eetsalon van de *Duke of York*.

Far left: First class dining saloon on the *Duke of York*.

Links: De 1e klas salon op de *Duke of York*.

Left: First Class lounge on the *Duke of York*.

Frank Haalmeijer collection

Boven: De *Koningin Emma* uitvarend, nabij de Nederlandse kust.

Above: The *Koningin Emma* seen outward bound off the Dutch coast.

Rechts: Een imposante foto van de *Mecklenburg* tijdens het ontmeren in Parkeston Quay, bestemd voor Hoek van Holland.

Right: An impressive view of the *Mecklenburg* leaving Parkeston Quay for the Hook of Holland.

Henry Maxwell

Onder: Het laatste passagiersstoomschip was de *Avalon*, welke hier voor anker ligt in de rivier Stour in de 60-jaren.

Below: The last passenger steamer was the *Avalon* which is seen anchored in the River Stour in the sixties.

Ferry Publications Library

Ferry Publications Library

Boven: Het laatste traditionele passagiersschip van SMZ was de *Koningin Wilhelmina*. Hier ziet u het nog tamelijk nieuwe schip vertrekken van Parkeston Quay.

Above: SMZ's last traditional passenger only vessel was the *Koningin Wilhelmina*. She is seen leaving Parkeston Quay early in her career.

Links: De *St. George* werd tewater gelaten op 28 februari 1968 en maakte haar eerste afvaart met passagiers en vracht op 17 juli 1968.

Left: The *St. George* was launched on 28th February 1968 and made her first commercial sailing 17th July 1968.

Ferry Publications Library

Rechts: De *St. George* ziet u hier even buiten Harwich, opweg naar Hoek van Holland tijdens haar eerste seizoen.

Right: The *St. George* seen off Harwich en-route to the Hook of Holland, during her first season in service.

Ferry Publications Library

Ferry Publications Library

De *Duke of York* in haar uitvoering van 1951-53. Oorspronkelijk gebouwd voor de dienst Heysham – Belfast, voer ze in mei 1948 voor het eerst op de route Harwich – Hoek van Holland ter vervanging van de *Prague*.

The *Duke of York* in her 1951-53 state. Originally built for the Heysham – Belfast link, she operated her first Harwich – Hook sailing in May 1948 as the *Prague's* replacement.

politieke veranderingen in revolutionair Rusland plaats vonden, werd in 1919 de *St. Petersburg* herdoopt in *Archangel*.

NA-OORLOGS HERSTEL

Voor de verliezen van de oorlog was dringend vervanging nodig. In 1917 kocht de Great Eastern het veertien jaar oude vracht- en passagiersschip *Kilkenny* van de City of Dublin Steam Packet Company. Vóór haar oplevering in 1919 liep het schip aan de grond aan de Ierse kust en werd aanzienlijk beschadigd. In 1919 werd ze *Frinton* gedoopt en hoofdzakelijk ingezet op de route naar Antwerpen, welke ze samen met de *Vienna* heropende in februari van dat jaar. Het 'nieuwe' schip bleef 10 jaar in dienst, voordat het werd verkocht voor verder gebruik op de veerdienst tussen Brindisi (Italië) en Pireaus (Griekenland).

Het vrachtschip *Felixstowe* (in 1919 opgeleverd door Hawthorn of Leith) heropende in het begin van dat jaar samen met de *Cromer* de vrachtdienst op Rotterdam.

De tweede na-oorlogse aankoop was het turbine stoomschip *St. George*. Gebouwd in 1906 door Cammell Laird Ltd. in Birkenhead voor de Great Western Railway's

were renamed during the war and the *Dresden* and *Munich* became the friendlier *Louvain* and *St. Denis*. Now with political changes taking place in revolutionary Russia, in 1919 the *St. Petersburg* was renamed *Archangel*.

POST-WAR REVIVAL

Replacements were badly needed for the war losses and in 1917 the Great Eastern purchased the fourteen year old passenger and cargo vessel *Kilkenny* from the City of Dublin Steam Packet Company. Before her delivery in 1919 she ran aground on the Irish coast and suffered considerable damage.

Renamed *Frinton* in 1919, she was mainly associated with the Antwerp service which she reopened with the *Vienna* in February that year. The 'new' ship remained for another ten years before being sold for yet further use on the ferry service linking Brindisi (Italy) and Piraeus (Greece).

The cargo vessel *Felixstowe* (delivered from Hawthorn of Leith in 1919) reopened the Rotterdam cargo service with the *Cromer* early in that year.

The second post-war acquisition was the turbine steamer *St. George*. Built at Birkenhead by Cammell Laird Ltd. in 1906 for the Great Western Railway's new Fishguard – Rosslare route, she was sold to the Canadian Pacific Railway in May 1913.

Returned to Britain for use as a hospital ship during the war, the *St. George* was purchased by the Great Eastern in June 1919 to replace the *Copenhagen*. Some £130,000 was spent on converting her for her new role and at 22.5 knots she became the Great Eastern's fastest ship.

The Hook of Holland service reopened in November 1919 using the old *Amsterdam* of 1894 and the *Archangel* (ex *St. Petersburg*) but

KLM L Luchtfotgrafie Schiphol neg no. 28449

Op 16 september 1952 liggen drie schepen van SMZ in Hoek van Holland. Van links naar rechts, *Prinses Beatrix*, *Oranje Nassau* en de *Mecklenburg*.

Three SMZ ships at the Hook of Holland on the 16th September 1952. From left to right, *Prinses Beatrix*, *Oranje Nassau* and the *Mecklenburg*.

John Clarkson

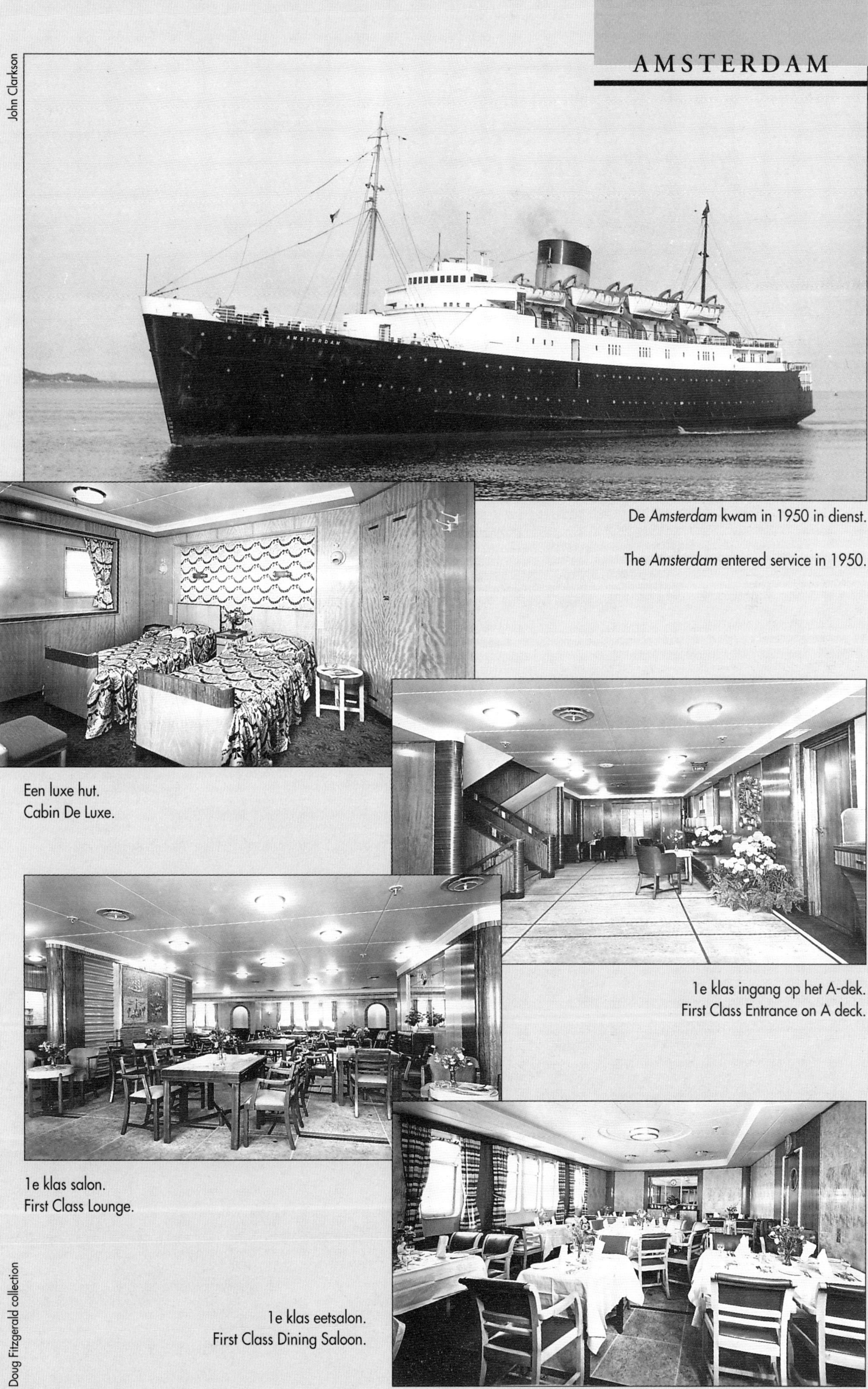

De *Amsterdam* kwam in 1950 in dienst.

The *Amsterdam* entered service in 1950.

Een luxe hut.
Cabin De Luxe.

1e klas ingang op het A-dek.
First Class Entrance on A deck.

1e klas salon.
First Class Lounge.

1e klas eetsalon.
First Class Dining Saloon.

Doug Fitzgerald collection

Een opname van het station en de Harwich-kade in Hoek van Holland in het begin van de jaren 70. De *Koningin Juliana* ligt langs de kade.

A view of the railway station and ferry terminal at the Hook of Holland in the early seventies with the *Koningin Juliana* alongside.

Frank Haalmeijer collection

De aankomst van de *St. Edmund* in Hoek van Holland tijdens het laatste seizoen, dat ze op de route voer.

The *St. Edmund* arriving at the Hook of Holland during her last season on the route.

Henk van der Lugt

Na slechts 16 jaren dienst werd de *St. George* afgevoerd, gevolgd door het in de vaart brengen van de jumbo-ferry *St. Nicholas*.

After only 16 years in service, the *St. George* was withdrawn from route following the entry into service of the jumbo ferry *St. Nicholas*.

Foto Flite

FotoFlite

Ferry Publications Library

Links: Een mooie aktiefoto van de *Prinses Beatrix,* opweg naar Harwich.

Left: A powerful view of the *Prinses Beatrix* on passage to Harwich.

Onder: De *Prinses Beatrix* draait van haar ligplaats in Hoek van Holland op haar dagafvaart naar Engeland. Haar oudere compagnon in de vloot, de *Koningin Juliana,* ligt nieuwe auto's te laden voor de Engelse markt.

Below: The *Prinses Beatrix* swings off the berth at the Hook of Holland on her morning sailing to England. Her older fleet companion the *Koningin Juliana* can be seen loading trade cars for the UK market.

KLM Luchtfotografie Schiphol neg no. 27442

De *Arnhem* en *Prinses Beatrix* langs de kade te Hoek van Holland op 15 november 1950.

The *Arnhem* and *Prinses Beatrix* alongside the Hook of Holland on the 15th November 1950.

nieuwe route tussen Fishguard en Rosslare. Ze werd in mei 1913 verkocht aan de Canadian Pacific Railway. Nadat ze tijdens de oorlog naar Engeland terug was gekomen om als hospitaalschip dienst te doen, werd de *St. George* in juni 1919 door de Great Eastern aangekocht om de *Copenhagen* te vervangen. Voor ongeveer £130.000 werd ze aangepast voor haar nieuwe taak en met haar 22,5 knopen werd ze het snelste schip van de Great Eastern.

In november 1919 werd de dienst naar de Hoek van Holland heropend met de oude *Amsterdam* van 1894 en de *Archangel* (ex *St. Petersburg*). Toen de *St. Denis* weer terug kwam in de dienst, werd het eerst genoemde schip op de dienst naar Antwerpen ingezet. Toen de *St. George* in dienst kwam, voegde ze zich bij de twee omgedoopte turbineschepen. Vanaf april 1920 werd de dienst naar Hoek van Holland weer dagelijks uitgevoerd.

Op 5 juli 1921 begon de Great Eastern een nieuwe zomerdienst naar Zeebrugge. Met drie afvaarten per week hoopte men, vakanties naar het vaste land, die na de Eerste Wereldoorlog erg populair waren geworden, aan te moedigen. Naar deze dienst was de oude *Vienna* (van 1894) overgeplaatst en was hiervoor herdoopt in de passende Belgische naam *Roulers* (= Roeselare).

Nieuwe tonnage voor de dienst op Antwerpen, met de namen *Antwerp* en *Bruges*, werd in 1920 opgeleverd door John Brown in Clydebank. Met een kruiserhek en een accomodatie voor 1250 passagiers, werden ze gevolgd door de *Malines* (= Mechelen), gebouwd door Armstrong Whitworth of Wallsend on Tyne. Ze werd in dienst gesteld in maart 1921, en was het laatste schip, dat voor de Great Eastern Railway werd gebouwd. Hierdoor werd de *Amsterdam* reserveschip. Door deze nieuwe

when the *St. Denis* (ex *Munich*) took up station, the former ship was demoted to the Antwerp link.

On entering service, the *St. George* joined the renamed turbine steamer twins and a daily service to the Hook of Holland was finally resumed in April 1920.

On 5th July 1921 the Great Eastern commenced a new, summer, service to Zeebrugge. It was operated three times a week and it was hoped that it would encourage continental holidays which had become very popular since the end of the First World War.

Transferred to the route was the old *Vienna* (of 1894) which was now given the more appropriate Belgian name of *Roulers*.

New tonnage for the Antwerp link had arrived in the form of the sisters *Antwerp* and *Bruges* from John Brown's Clydebank yard in 1920. With passenger accommodation for 1250 and cruiser sterns, they were followed by the *Malines* from Armstrong Whitworth of Wallsend on Tyne. She commenced service in March 1921 being the last ship to be built for the Great Eastern and relegating

C.H. Blankers collection

In mei 1953 verspeelde de *Duke of York* in een aanvaring met het Amerikaanse vrachtschip *Haïti Victory* haar gehele voorschip. De weg terug naar Harwich werd gesleept uitgevoerd achter de sleepboot *Empire Race.*

In May 1953 the *Duke of York* lost her entire bow section in a collision with the American supply ship *Haiti Victory*. Towed by the tug *Empire Race*, the 'Duke' makes her way back to Harwich.

De *Koningin Emma* van SMZ in de na-oorlogse uitvoering.

SMZ's *Koningin Emma* seen in her post war state.

1e klas ontvangsthal.
First Class Entrance Hall.

2e klas promenadedek.
Promenade Deck – Second class.

1e klas eetsalon.
First Class Dining Saloon.

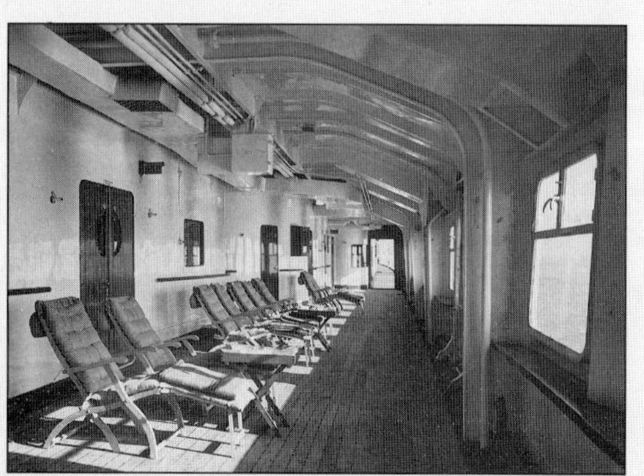

1e klas promenadedek.
Promenade Deck First Class.

Machinekamer.
Engine Room.

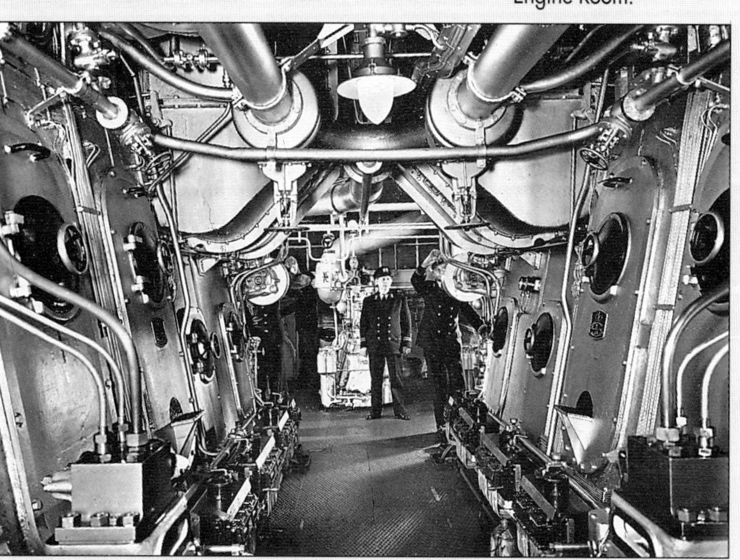

KONINGIN EMMA

Kombuis.
Galley.

All photographs Frank Haalmeijer collection

FotoFlite

In het begin van 1986 onderhielden twee ferries van *Brittany Ferries* de dienst van SMZ, na de verkoop van de *Beatrix* aan deze Franse rederij. Op deze foto ziet u de *Armorique* samen met de *Prinses Beatrix* (toen al onder Franse vlag varend) op de Noordzee opweg naar Harwich.

In early 1986, two Brittany Ferries' vessels were maintaining SMZ's operations following the sale of the 'Beatrix' to the French company. In this picture, the *Armorique* is seen with the *Prinses Beatrix* (then under the French flag) in the North Sea on passage to Harwich.

FotoFlite

Het Franse charterschip *Duchesse Anne* in dienst van SMZ in 1989, tijdens de dokbeurt van de *Koningin Beatrix*.

The French ship *Duchesse Anne* was chartered by SMZ in 1989 during the overhaul period of the *Koningin Beatrix*.

David Parsons

Voordat de *Koningin Beatrix* was afgeleverd, werd door SMZ de *Peter Wessel* gecharterd. Voor de tijd, dat ze op de route tussen Nederland en Engeland voer, werd ze herdoopt in *Zeeland*.

Prior to the delivery of the *Koningin Beatrix*, the *Peter Wessel* was chartered by SMZ. She was renamed *Zeeland* whilst she was employed on the Dutch/UK service.

Ferry Publications Library

De *Prinses Beatrix* nadert Parkeston Quay.

The *Prinses Beatrix* approaching Parkeston Quay.

schepen, werden de *Roulers* (ex *Vienna*) en de *Frinton* vervangen op de Antwerpen route.

DE LONDON & NORTH EASTERN RAILWAY EN SMZ

Op 1 januari 1923 werd de fusie van de vele Engelse spoorwegmaatschappijen een feit, wat de vorming van de 'Grote Vier' teweegbracht. De 61 jaren van de Great Eastern Railway kwamen tot een eind en de Harwich vloot werd overgedragen aan de London & North Eastern Railway Company (LNER).

In maart van dat jaar vormden de LNER en de Belgische Staatsspoorwegen een dochterbedrijf, dat bekend stond als de Great Eastern Train Ferries Ltd. en in april 1924 startte deze een nieuwe treinferry dienst tussen Harwich en Zeebrugge. De Harwich-vloot werd hiervoor met drie schepen uitgebreid. In tegenstelling tot de passagiersschepen, voeren de treinferries vanaf Harwich Town zelf. In 1933 nam de LNER de dienst geheel in eigen hand.

Het eerste nieuwe schip voor de LNER was het in 1926 opgeleverde vrachtschip *Sheringham*, welke in de dienst naar Rotterdam kwam. Ze was de laatste Harwich-boot, die door Earle's of Hull was gebouwd en verving de *Frinton*, welke haar laatste jaren op de Rotterdam dienst had doorgebracht, voordat ze in 1927 verkocht werd aan Griekse eigenaars.

De meest opmerkelijke verandering in 1927 vond plaats op de eerste dag van het jaar, toen de Stoomvaart Maatschappij Zeeland (SMZ) uit Vlissingen haar Engelse aanloophaven Folkestone verwisselde voor Parkeston Quay. De nieuwe overeenkomst

the *Amsterdam* to reserve. With the new vessels now in service, the *Roulers* (ex *Vienna*) and the *Frinton* were displaced from the Antwerp service.

THE LONDON & NORTH EASTERN RAILWAY AND SMZ

On 1st January 1923 came the grouping of the numerous British railway companies which brought about the creation of the 'Big Four'. The 61 years of the Great Eastern Railway came to an end and the Harwich fleet passed into the hands of the London and North Eastern Railway Company (LNER).

In March of that year, the LNER and Belgian State Railways formed a subsidiary company known as Great Eastern Train Ferries Ltd, and in April 1924 the new Harwich – Zeebrugge train ferry service

A. Hope collection

Een andere foto van de *Duke of York* na de aanvaring in 1953.

Another view of the *Duke of York* after her collision in 1953.

Het eerste ro/ro vervoer. Een foto van het laden door een zijdeur van de *Koningin Emma*.

Early drive-on. A view of the side loading door on the *Koningin Emma*.

tussen de voormalige concurrenten regelde, dat de LNER de nachtdienst zou voortzetten, terwijl de SMZ in de toekomst de dagdienst zou uitvoeren.

Het was de oude, met stoomzuigermachines uitgeruste *Oranje Nassau*, die op 31 december 1926 leeg vanuit Vlissingen aankwam en klaar lag om op de volgende dag

started, thereby increasing the Harwich fleet by three vessels. Unlike the passenger ships, the train ferries operated from Harwich town itself and in 1933 the LNER took full control of the operation.

The LNER's first new ship for the Harwich station was the cargo steamer *Sheringham* which took up the Rotterdam route on her completion in 1926. She was the last local ship to be built by Earle's of Hull and replaced the *Frinton* which had spent her last years on the cargo service to Rotterdam before passing to Greek owners in 1927.

The most significant change during 1927 occurred on the first day of the year when the Zeeland Steamship Company (SMZ) commenced service from Parkeston Quay to Flushing having moved their English terminal from Folkestone. The new agreement between the former rivals dictated that the LNER would continue to run the night service while SMZ would, in future, operate by day.

It was the veteran reciprocating engined steamer *Oranje Nassau* that arrived 'light' from Flushing on 31st December 1926 in readiness for taking up the service on the following day, while the first inward sailing to Harwich was operated by the five year old *Mecklenburg*.

The third of the Dutch trio was the *Prinses Juliana*. All three ships were almost identical, the *Oranje Nassau* being the only suvivor of the original trio built in 1909 by Fairfield of Govan in answer to the Great Eastern's first three turbine steamers. Her sisters were lost during the First World War and replacements with the same names, and from the same plans, had arrived in 1920 and 1922 respectively from the De Schelde yard at Flushing. They were the most beautiful looking vessels with counter sterns, long lean lines and two handsomely proportioned and raked funnels between pole masts of identical rake.

Both the LNER Harwich – Hook of Holland route and the SMZ link between Harwich and Flushing boasted excellent railway connections with Germany. The former ran via Rotterdam, Utrecht and Arnhem while the latter was via the now partly defunct line linking Flushing with Bergen op Zoom, Breda, Tilburg, Uden and Beugen.

Passagiers in de zon tussen Hoek van Holland en Harwich in begin vijftiger jaren.

Passengers taking in the sunshine between the Hook of Holland and Harwich in the early fifties.

de dienst vanuit Harwich te openen, terwijl de eerste binnenkomende oversteek gemaakt werd door de vijf jaar oude *Mecklenburg*.

De derde van het Nederlandse trio was de *Prinses Juliana.* Alle drie de schepen waren nagenoeg gelijk aan elkaar, waarbij de *Oranje Nassau* de enige overlevende was van het oorspronkelijke trio, gebouwd in 1909 door Fairfield of Govan als antwoord op de Great Eastern's eerste drie turbineschepen. Haar zusterschepen gingen verloren tijdens de Eerste Wereldoorlog en nieuwe schepen met dezelfde namen en van hetzelfde ontwerp, werden resp. opgeleverd in 1920 en 1922, door de Koninklijke Maatschappij De Schelde in Vlissingen. Het waren prachtige schepen met een overhangende achtersteven, slanke lijnen en twee goed geproportioneerde en achterover hellende schoorstenen tussen twee hieraan evenwijdige masten.

Zowel de LNER dienst Harwich – Hoek van Holland als de SMZ verbinding Vlissingen – Harwich, konden zich beroemen op hun uitstekende spoorverbindingen met Duitsland. De eerste via Rotterdam, Utrecht en Arnhem, terwijl de andere via de nu gedeeltelijk niet meer in gebruik zijnde route vanuit Vlissingen via Bergen op Zoom, Breda, Tilburg, Uden en Beugen ging.

De LNER begon toen aan een moderniserings programma, waarin het overgebleven duo uit 1894, de *Amsterdam* (op het laatst nog gebruikt op de vrachtdienst naar Rotterdam) en de *Roulers* (ex *Vienna*), alsmede de *St. George*, binnen vijftien maanden vanaf december 1928, naar de sloop gingen in Blyth in Northumberland.

De vervangingen kwamen van de Clydebank, in de vorm van drie imposante stoomschepen. Het waren de zusterschepen *Vienna, Prague* en *Amsterdam.* Zij hadden een bruto inhoud van meer dan 4000 ton, een snelheid van 21 knopen en afmetingen van 366 bij 50 voet (111,63 m x 15,25 m).

De *Vienna* kwam begin juli 1929 als eerste aan in Parkeston Quay , gevolgd door de *Prague* in februari 1930 en de *Amsterdam* twee maanden later.

De eerste van het trio maakte beleefdheids bezoeken naar Amsterdam (op 12 en 13 juli)

Henk van der Lugt collection

De bouw van de nieuwe Harwich-kade te Hoek van Holland in juli 1954. De *Duke of York* en de *Prinses Beatrix* zijn zichtbaar langszij de kade.

The construction of the new Harwich Quay at the Hook of Holland taken in July 1954. The *Duke of York* and the *Prinses Beatrix* can be seen alongside.

The LNER now embarked on a modernisation programme which saw the remaining 1894 twins *Amsterdam* (latterly used on the Rotterdam cargo service) and *Roulers* (ex *Vienna*) and the replacement vessel *St. George* all pass for breaking at Blyth, Northumberland, in a fifteen month period from December 1928.

The replacements inevitably came from Clydebank in the form of three most impressive steamers, the sisters *Vienna, Prague* and *Amsterdam.* They were over 4000 gross tons with a speed of 21 knots and measured 366 feet by 50 feet.

The *Vienna* was the first on station arriving at Parkeston Quay early in July 1929, followed by the *Prague* in February 1930 and the *Amsterdam* two months later.

The first of the trio made courtesy calls to Amsterdam (on 12th – 13th July) and Rotterdam (on 13th – 14th July) before making her maiden voyage from Harwich on Monday 15th July 1929. This sailing was duplicated by the *St. George* which, after disembarking her passengers the following morning, sailed 'light' to England at the conclusion of her final sailing before being broken up.

The *Prague's* maiden voyage was on 1st March, but five days later dense fog was already badly interfering with her schedules. The same fog saw the *Bruges* disembarking

Ferry Publications Library

Een indrukwekkend aanzicht van Parkeston Quay, halverwege de jaren vijftig, met van links naar rechts de *Dewsbury, Kronprinsesse Ingrid, Duke of York, Arnhem* en *Vienna.*

A fascinating Parkeston Quay line up during the mid-fifties showing (left to right) the *Dewsbury, Kronprinsesse Ingrid, Duke of York, Arnhem* and *Vienna.*

Een foto van Hoek van Holland aan het eind van de vijftiger jaren met *Duke of York* afgemeerd langs de kade.

A view of the Hook of Holland in the late fifties with the *Duke of York* berthed at the quayside.

en Rotterdam (op 13 en 14 juli) voordat ze haar eerste reis vauit Harwich maakte op maandag 15 juli 1929. Deze afvaart werd ook gemaakt door de *St. George*, welke na het ontschepen van de passagiers op de volgende morgen, leeg terug voer naar Engeland ter afsluiting van haar laatste reis voordat ze gesloopt werd.

De *Prague's* eerste reis was op 1 maart, maar vijf dagen later, veroorzaakte dichte mist een ernstige verstoring van haar dienstregeling. In dezelfde mist moest de *Bruges* haar passagiers ontschepen in Vlissingen, terwijl ze in haar eigen dienst op de Schelde opweg was naar Antwerpen.

De *St. Denis* was voor de laatste keer in Hoek van Holland volgens dienstregeling op 28 februari, hoewel ze in de dertiger jaren nog nu en dan gebruikt werd voor extra of vervangings afvaarten.

De derde van deze zusterschepen, de *Amsterdam* maakte haar eerste reis op zaterdag 26 april 1930. Na ontscheping stoomde ze op naar de Parkkade in Rotterdam en keerde weer op tijd terug naar Hoek van Holland om volgens schema in de nachtdienst uit te varen.

In 1930 werd de zomerdienst naar Zeebrugge uitgebreid tot 6 afvaarten per week, waar de twee overgebleven eerste turbineschepen *St. Denis* (ex *Munich*) en de *Archangel* (ex *St. Petersburg*) werden ingezet. Het laatst genoemde schip maakte haar laatste afvaart op de Harwich Hoek van Holland route op 2e Paasdag (21 april) 1930, toen ze als 2e schip samen met de *Vienna* heen en weer voer. Ze maakte daarna nog wel eens een reis, maar alleen ter vervanging.

Gedurende november 1931 begon de tweede uitbreiding van Parkeston Quay met ongeveer 365 meter in westelijke richting. Drie nieuwe ligplaatsen, nieuwe loodsen en een tweede station (Parkeston Quay West) werden daarbij gebouwd en het geheel werd geopend in november 1934. Het oude vrachtschip *Cromer* werd in dat zelfde jaar voor sloop verkocht.

Eén van de meest ambitieuze plannen van de LNER was het uitvoeren van luxe cruises.

In 1932 en gedurende elke volgende zomer tot het uitbreken van de Tweede Wereldoorlog, bood men met de *Vienna* een serie uitstapjes van vrijdagavond tot maandagmorgen aan. Deze combineerden gewoonlijk bezoeken aan de Nederlandse havens Amsterdam en Rotterdam, of de Belgische havens Antwerpen en Zeebrugge of via de Seine naar de haven van Rouaan. Nu en dan werd een 'Mystery Cruise' aangeboden, waarbij de passagiers bij het wakker worden, erachter kwamen, dat ze op

Frank Haalmeijer collection

her passengers at Flushing while on her way up the River Schelde on her regular service to Antwerp.

The *St. Denis* had made her final scheduled call at the Hook of Holland on 28th February although during the thirties she was occasionally used to run extra, relief, sailings.

The third of the sisters, the *Amsterdam*, worked her maiden voyage on Saturday 26th April 1930. After disembarkation she proceeded to the Parkkade at Rotterdam before returning to the Hook of Holland in time to resume her schedule that night.

The year 1930 also saw the Zeebrugge summer service increased to six times weekly using the two surviving original turbine steamers, *St. Denis* (ex *Munich*) and *Archangel* (ex *St. Petersburg*). This latter vessel made her last scheduled sailing on the Harwich – Hook of Holland route on Easter Monday (21st April) 1930 when she duplicated the *Vienna's* services in both directions. She continued to make the odd visit in a relief capacity.

During November 1931, work began on Parkeston Quay's second extension which pushed the quay some 365 metres further west. Three extra steamer berths, new sheds and a second railway station (Parkeston Quay West) were included and all was ready for opening in November 1934. The elderly cargo steamer *Cromer* passed for scrap in the same year.

One of the LNER's most ambitious schemes was entering the world of luxury cruising.

In 1932 and during each succeeding summer, up until the outbreak of war, the *Vienna* offered a series of Friday night to

De *Prinses Beatrix* voor de kant in Hoek van Holland in het begin van de jaren vijftig. Erachter ligt de *Arnhem*.

A view of the *Prinses Beatrix* at the quayside at the Hook of Holland in the early fifties with the *Arnhem* astern.

de Kanaal Eilanden waren. Deze reizen waren zo succesvol, dat het LNER Marine Department in Harwich in 1936 besloot, het sloependek van *Vienna* aan de achterkant uit te breiden om meer ruimte te bieden.

Ook de *Oranje Nassau* van SMZ werd ingezet in de weekend cruisevaart, in 1929 vanuit Hoek van Holland, naar onder andere Cowes (Isle of Wight) en Torquay.

In de periode tussen de oorlogen, maakte het reseveschip van de Antwerpen dienst, op momenten van grote drukte, regelmatig extra reizen naar Hoek van Holland. In verband met de Wereld Padvinders Jamboree in Nederland, gedurende juli en augustus 1937, maakten de *Prinses Juliana* en de *Oranje Nassau* ook extra reizen en zo ook de plezierboten *Queen of Thanet*, *Queen of Kent*, *Queen of the Channel* en de *Royal Sovereign* van de New Medway Steam Packet Company.

Aan het einde van 1937 bestelde de SMZ een tweetal nieuwe schepen bij de De Schelde in Vlissingen. De nieuwe schepen werden de eersten, die met dieselmotoren waren uitgerust en hadden een accomodatie voor het enorme aantal van 1800 passagiers. De nieuwe, met een grijze romp uitgevoerde schepen *Koningin Emma* en *Prinses Beatrix*, hadden een bijzonder afwijkend profiel ten

Monday morning sorties. These usually combined visits to the Dutch ports of Amsterdam and Rotterdam, or the Belgian ports of Antwerp and Zeebrugge or up the River Seine to visit Rouen. Occasionally a 'Mystery Cruise' would be offered when passengers usually awoke to find themselves in the Channel Islands. So successful had these become that in early 1936, the LNER Marine Department at Harwich decided to extend the *Vienna's* boat deck aft in order to increase facilities.

The SMZ vessel *Oranje Nassau* had also been involved in weekend cruising during 1929, berthing at the Hook of Holland and sailing as far afield as Cowes (Isle of Wight) and Torquay.

During the inter-war period, the spare Antwerp ship regularly made extra sailings to the Hook of Holland when traffic was heavy. In connection with the World Scout Jamboree in The Netherlands, during July and August 1937, the *Prinses Juliana* and the *Oranje Nassau* also made extra sailings, as did the New Medway Steam Packet Company's excursion steamers *Queen of Thanet, Queen of Kent, Queen of the Channel* and *Royal Sovereign.*

Late in 1937, SMZ ordered a pair of new ships from De Schelde at Flushing. The new

Hoek van Holland in de ochtenduren, met de *Arnhem*.

A morning scene at the Hook of Holland with the *Arnhem*.

opzichte van de rest van de vloot, toen zij in juni en juli 1939 voor de eerste keer in Parkeston Quay aankwamen. Het is opmerkelijk, dat de SMZ vloot nooit een turbineschip heeft gekend. De Nederlandse rederij ging direkt over van stoomzuigermachines naar dieselmotoren.

vessels were the first to be fitted with diesel propulsion and boasted accommodation for a massive 1800 passengers. The new grey-hulled *Koningin Emma* and *Prinses Beatrix* presented a vastly different profile to that of the rest of the fleet when they arrived at Parkeston Quay for the first time in June and July 1939.

It is of interest that the SMZ fleet never contained a turbine steamer – the Dutch going directly from steam reciprocating engines to diesels.

Het purser's kantoor en de souvenirwinkel aan boord van de *Arnhem*.

Purser's office and gift shop on the *Arnhem*.

Stena Sealink Line

De *Duke of York* gefotografeerd in Hoek van Holland met haar nieuwe voorschip, dat ze na de aanvaring van mei 1953, kreeg.

The *Duke of York* pictured at the Hook of Holland with her new fo'c'sle received after her May 1953 collision.

Collection Gem. Archief Rotterdam

Henk van der Lugt collection

De *Amsterdam* voor de kant in Hoek van Holland in het begin van de jaren vijftig.

The *Amsterdam* alongside at the Hook of Holland in the early fifties.

OPNIEUW OORLOG

Nadat op 31 augustus 1939 de *Amsterdam* voor de laatste keer van Hoek van Holland vertrok en de *Prague* haar op 1 september in westelijke richting had gevolgd, werd de route voor zes jaar gesloten. De volgende dag werd Parkeston Quay weer gevorderd door de Britse Admiraliteit en op 3 september verklaarde Engeland de oorlog aan Nazi Duitsland.

De eerste maatregel door de oorlog was de afzegging van de weekendcruise van de *Vienna* naar Antwerpen en Zeebrugge. De marine nam zijn intrek op Parkeston Quay en vernoemde het in HMS Badger, terwijl de LNER vloot geheel grijs geschilderd werd, de

BACK TO WAR

On Thursday 31st August 1939, the *Amsterdam* sailed from the Hook of Holland for the final time and after the *Prague* had followed her westwards on 1st September, the service was to be closed for six years. On the following day Parkeston Quay was again requisitioned by the British Admiralty and on 3rd September the United Kingdom declared war on Nazi Germany.

The first casualty of the war was the cancellation of the *Vienna's* weekend cruise to Antwerp and Zeebrugge. The Navy moved into Parkeston Quay and renamed it HMS Badger, while the LNER fleet was repainted grey, bridges were protected with sandbags

Ferry Publications Library

Het laatste conventionele schip van de SMZ was de *Koningin Wilhelmina*, hier tijdens het aanlopen van Parkeston Quay West op de dagdienst uit Hoek van Holland.

SMZ's last traditional vessel was the *Koningin Wilhelmina*, seen here approaching Parkeston Quay West on the day Hook service.

Frank Haalmeijer collection

Twee opnamen van de futuristisch aanziende *Koningin Wilhelmina* op snelheid op de Noordzee.

Two views of the futuristic *Koningin Wilhelmina* at speed in the North Sea.

scheepsbruggen werden beschermd met zandzakken en de bemanning werden geoefend in het bedienen van machinegeweren.

Op de tweede dag na de invasie van Nederland, verloor de SMZ haar stoomschip *Prinses Juliana* uit 1920, terwijl ze met troepen aan boord onderweg was van Vlissingen naar IJmuiden. Op 12 mei 1940 werd ze, onder bevel van kapitein J.P. Nonhebel, om 08.40 uur voor de mond van de Nieuwe Waterweg, aangevallen door een vijandelijk vliegtuig, echter zonder succes. Een tweede aanval vond plaats om 10.00 uur, toen het schip weer belaagd werd met bommen en geweervuur. Zware explosies

and crews were trained to handle machine guns.

On the second day after the invasion of the Netherlands, while on passage between Flushing to IJmuiden with Dutch troops, SMZ lost their steamer *Prinses Juliana* of 1920. On 12th May 1940, under the command of Captain J.P. Nonhebel, the steamer was off the mouth of the Maas at about 08.40 when she was unsuccesfully attacked by enemy aircraft. A second attack took place at 10.00 hours when the ship was strafed by bombs and machine-gun fire. Heavy explosions near the ship caused ruptures in her hull as a result of which she took on water and developed a list. The

Frank Haalmeijer collection

nabij het schip veroorzaakten scheuren in de romp, als gevolg waarvan ze water ging maken en slagzij kreeg. Door explosies braken ook stoompijpen af, het stuurgerei werd beschadigd en het schip werd onmanoeuvreerbaar. Om 10.20 uur werd order gegeven 'schip verlaten' en met de hulp van sleepboten werd de *Prinses Juliana* ten noorden van Hoek van Holland aan de grond gezet. Het schip is later in tweeën gebroken en werd door de Duitsers als oefen doelwit gebruikt. Het zou het enige verlies van de SMZ in de oorlog worden. Haar scheepsbel is geborgen en is thans te vinden in restaurant 'Het Jagershuis', gelegen naast het Nationaal Veerdienstmuseum in Hoek van Holland.

De nieuwe motorschepen *Koningin Emma* en *Prinses Beatrix* ontsnapten op 10 mei naar Engeland, terwijl de volgende dag de *Oranje Nassau* en de *Mecklenburg* hen naar de veiligheid volgden. Het duo uit 1939 werd door de Royal Navy herdoopt in *Queen Emma* en de *Princess Beatrix* en gedurende 1942 namen zij als landingsschepen deel aan de commando aanvallen op de Lofoten Eilanden in maart, op Bayonne in april, op Dieppe in augustus en gedurende november nabij Oran in Noord Afrika.

Ferry Publications Library

Aan het eind van haar laatste reis uit Hoek van Holland in juli 1963, arriveerde de *Duke of York* gepavoiseerd te Parkeston Quay.

Dressed overall, the *Duke of York* is seen arriving at Parkeston Quay at the end of her final sailing from the Hook in July 1963.

explosions also fractured steam pipes and damaged the steering gear and she became unmanageable. At 10.20 the order to was given to 'Abandon ship' and with the assistance of tugs, the *Prinses Juliana* was grounded north of the Hook of Holland.

The ship later broke in two and was used by the Germans as a target vessel. It was to be the only SMZ loss of the war. Her bell was salvaged and can be seen today in the Het Jagershuis restaurant next door to the Ferry Museum at the Hook of Holland.

The new motorships *Koningin Emma* and *Prinses Beatrix* escaped to England on 10th May while the next day saw the *Oranje Nassau* and the *Mecklenburg* follow them to safety. The 1939 twins were renamed *Queen Emma* and *Princess Beatrix* by the Royal Navy, and during 1942 they took part as landing vessels for the commando raids on the Lofoten Islands in March, on Bayonne in April, on Dieppe in August and during November near Oran in North Africa.

In the following April they took their part in the famous 'Moonlight Squadron' transporting troops between Algiers and Bone. The 'Emma' landed troops on the island of Panteleria in May, while in June came the Sicily landings. On 6th June 1944 came the D-Day Landings, when the *Queen Emma* together with the *Mecklenburg* formed

Ferry Publications Library

Een foto van Parkeston Quay met de *Arnhem* voor de kant, terwijl de *Koningin Wilhelmina* vertrekt in de dagdienst.

A view at Parkeston Quay with the *Arnhem* alongside while the *Koningin Wilhelmina* leaves on the day service.

Ferry Publications Library

De *Avalon* komt voor het eerst binnen in Harwich.

The *Avalon* on her delivery voyage to Harwich.

Interieur opnamen van de Avalon
Interior Views of Avalon

2e klas cafetaria.
Second Class Cafeteria.

Het stuurhuis en de kaartenkamer.
Wheelhouse and chart room.

1e klas rooksalon.
First Class Smokeroom.

Het cafeteria opgedekt als eetsalon in de tijd, dat het schip dienst deed in de cruisevaart.
Cafeteria laid up as a Dining Room whilst the vessel was employed on cruising

1e klas restaurant.
First Class Restaurant.

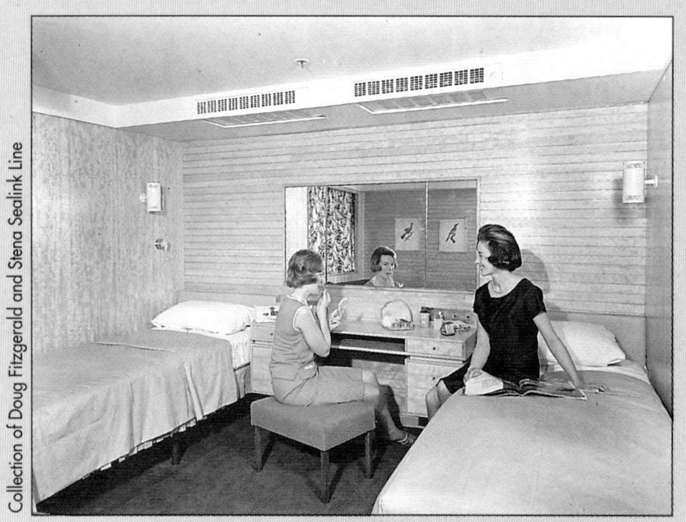

Collection of Doug Fitzgerald and Stena Sealink Line

Luxe hut 'A' op het promenadedek.
Cabin De Luxe 'A' on Promenade Deck

Ferry Publications Library

De *Amsterdam* in december 1964 bij het passeren van Harwich in de nieuwe kleuren van British Rail.

The *Amsterdam* passing Harwich in the new British Rail livery in December 1964.

W.A. Suijker

Op 17 april 1968 ligt de *Arnhem* aan Parkeston Quay.

The *Arnhem* at Parkeston Quay on 17th April 1968.

In april van het volgende jaar waren zij betrokken bij het beroemde 'Moonlight Squadron', wat troepen vervoerde tussen Algiers en Bone. De *Queen Emma* landde troepen op het eiland Panteleria in mei, terwijl in juni de landingen plaats vonden op Sicilië. Op 6 juni 1944 vonden de landingen van D-Day plaats, en de *Queen Emma* maakte samen met de *Mecklenburg* deel uit van de invasievloot voor de bevrijding van Europa.

Toen de oorlog in Europa voorbij was, vertrokken de *Queen Emma* en de *Princess*

part of the invasion fleet in the liberation of Europe.

After the war in Europe was over, both the *Queen Emma* and the *Princess Beatrix* sailed to the Far East where they landed French troops near Saigon (Vietnam). Later they were at Penang when the Japanese surrendered, before repatriating thousands of women and children to Batavia, Semarang and Surabaya. After six years of wandering the oceans, both Dutch ships returned to Flushing undamaged and unrecognisable. It was not until 31st May 1948 that they were

Frank Haalmeijer collection

Een overzicht van de kade te Hoek van Holland op een drukke mogen in de zestiger jaren met de *Koningin Wilhelmina* en de *Arnhem* voor de kant.

A busy morning scene at the Hook of Holland taken in the sixties, with *Koningin Wilhelmina* and the *Arnhem* at the quayside.

Frank Haalmeijer collection

to return to civilian service operating the daylight link between the Hook of Holland and Harwich.

The Harwich fleet of the LNER was dealt a devastating blow by its war losses. When in May 1940, Germany attacked the Low Countries, the Antwerp steamer *Malines* and the *St. Denis* (ex *Munich* of 1908) were sent to Rotterdam to evacuate British civilians and both were caught in the port when the Germans arrived. The crew of the *St. Denis* scuttled her where she lay, while the *Malines* sailed in the dark along an unlit river and beneath enemy guns with her 2000 passengers, including the crew of the *St. Denis*, to Tilbury.

The *Malines* made more mercy trips to evacuate troops after Belgium was overrun. Off the French coast, near Dunkirk, she saved 1000 men from the torpedoed British destroyer HMS *Grafton*. During the evacuation of Dunkirk, the *Prague* made three trips until on 1st June 1940, with as many as 3000 troops on board, she sprang a leak following enemy action after which Captain Baxter grounded her on the English coast near Deal. The vessel was later salvaged and she was towed to London where a new stern section was fitted. She took up service operating from Aberdeen to the Shetland Islands during which time she was again

Verse produkten uit Holland worden verladen, klaar voor de export naar Engeland. De Nederlandse post is ook te zien op de kade als lading voor de *Koningin Wilhelmina.*

Fresh produce from Holland being off-loaded, ready for export to Britain. On the quayside Dutch mail bags are ready for dispatch and loading onto the *Koningin Wilhelmina.*

Beatrix naar het Verre Oosten, waar zij Franse troepen aan land zetten nabij Saigon (Vietnam). Later waren zij in Penang, toen de Japanners zich overgaven, voordat ze duizenden vrouwen en kinderen terugbrachten naar Batavia, Semarang en Surabaya. Na zes jaren over de oceanen te hebben gezworven, keerden de beide Nederlandse schepen onbeschadigd en

De *Avalon* met zonnetent achterop aan Parkeston Quay, hetgeen aangeeft, dat ze spoedig gaat vertrekken voor een cruise.

The *Avalon* at Parkeston Quay with the awning up (aft) indicating that she is about to sail on a cruise.

FotoFlite

onherkenbaar terug in Vlissingen. Zij keerden niet voor 31 augustus 1948 terug in de koopvaardij, om vanaf die dag de dagdienst tussen Hoek van Holland en Harwich uit te voeren.

De Harwich vloot van de LNER werd nagenoeg vernietigd als gevolg van de oorlog. Toen in mei 1940 Nederland door Duitsland werd aangevallen, werden de *Malines* van de Antwerpen dienst en de *St. Denis* (ex *Munich* van 1908) naar Rotterdam gestuurd om Engelse burgers te evacuëren. Beiden werden in de haven overvallen, toen de Duitsers daar aankwamen. De bemanning van *St. Denis* bracht haar ter plaatse tot zinken, terwijl de *Malines* in het donker naar Tilbury vertrok, langs een onverlichte rivier en onder vijandelijk vuur met 2000 passagiers aan boord, inclusief de bemanning van de *St. Denis*.

De *Malines* maakte meer voorspoedige reizen om troepen te evacueren, nadat België onder de voet gelopen was. Voor de Franse kust, nabij Duinkerken, redde ze 1000 mensen van de getorpedeerde Engelse torpedojager *HMS Grafton*. Tijdens de evacuatie van Duinkerken maakte de *Prague* drie reizen, totdat ze op 1 juni 1940 met ongeveer 3000 mensen aan boord, als gevolg van een vijandelijke aktie een lek opliep. Hierna besloot kapitein Baxter haar aan de grond te zetten onder de Engelse kust nabij Deal. Het schip werd later geborgen en naar Londen gesleept, waar een nieuw achterschip werd aangebouwd. Ze kwam weer in dienst vanuit Aberdeen naar de Shetland Eilanden, gedurende welke tijd ze weer door Duitse bommen werd beschadigd. In 1944 verbouwd tot hospitaalschip werd ze gebruikt om met de LNER bemanning aan boord en een Amerikaanse medische staf, gewonde Amerikanen van het vaste land van Europa naar Engeland te brengen. Tussen juni 1944 en maart 1945 maakte ze 57 reizen naar de stranden van Normandië.

Het zusterschip van de *Prague*, de *Amsterdam*, vertrok op 7 september 1939 van Parkeston Quay en tijdens het eerste deel van oorlog deed ze dienst als troepenschip, om militairen naar Frankrijk te brengen. Later deed ze dienst tussen Aberdeen en de Shetland Eilanden, voordat ze in december 1943 werd verbouwd tot landingschip (infanterie) ter voorbereiding voor de landingen in Normandië. Zij voer als hospitaalschip, toen ze op 7 augustus 1944 in het Engelse Kanaal op een mijn liep en zonk met een groot verlies aan mensenlevens.

In St. Valery evacueerden de boten van de *Archangel* (ex *St. Petersburg*) onder vijandelijk vuur, troepen van de stranden. In mei 1941

G.R. van Veldhoven collection

De *Prinses Beatrix* van 1939 op sleeptouw van Schiedam naar de sloperij in Antwerpen op 19 december 1968.

The *Prinses Beatrix* of 1939 under tow from Schiedam to the breakers at Antwerp on 19th December 1968.

damaged by German bombs. Rebuilt as a hospital ship in 1944, she was crewed by her LNER personnel and American medical staff and was used to bring wounded Americans from mainland Europe to Britain. Between June 1944 and March 1945 she made 57 trips to the Normandy Beaches.

The *Prague's* sistership, the *Amsterdam*, sailed from Parkeston Quay on 7th September 1939 and during the early part of the war served as a troop ship, transporting military staff to France. Later she moved to the Aberdeen – Shetland link before, in December 1943, she was converted to a Landing Ship (Infantry) in readiness for the Normandy Landings. She was serving as a Hospital ship when on 7th August 1944 she struck a mine in the English Channel and sank with a large loss of life.

At St. Valery the boats of the 1910

Direkt na haar tewaterlating wordt de *St.George* langzaam naar de afbouwkade gemanoeuvreerd.

The *St. George* is slowly manoeuvred after her launch to her fitting out berth.

Ferry Publication Library

FotoFlite

Op de net geopende carferry dienst vaart de *St.George* weg uit Harwich in juli 1968.

The *St. George* heads away from Harwich on the newly opened car ferry service in July 1968.

werd ze aangevallen, tijdens de reis van Kirkwall (Orkney) naar Aberdeen, waarna ze zonk voor de Schotse kust met een verlies van 17 mensenlevens.

De *Bruges* van de Antwerpen dienst werd in juni 1940 voor Le Havre gebombardeerd, waar ze was gestrand en verlaten door haar bemanning. Het zusterschip *Malines* was op 29 juli 1942 gezonken voor de kust van Egypte, nabij Port Said. Het overblijvende schip van het trio, de *Antwerp*, werd het escorteschip *HMS Antwerp* van de Royal Navy en overleefde de oorlog.

Het vrachtschip *Felixstowe* (herdoopt in *HMS Colchester*) werd een bergingsvaartuig, overleefde eveneens en kwam terug op de route.

Het andere vrachtschip, de *Sheringham*, deed dienst voor het Ministry of War Transport en was betrokken bij de evacuatie van de Kanaal Eilanden.

Aan het eind van de oorlog had de

Archangel (ex *St. Petersburg*) evacuated troops from the beaches while under hostile fire. In May 1941 the same vessel was on passage between Kirkwall (Orkney) and Aberdeen when she was attacked and sunk off the Scottish coast with the loss of seventeen lives.

The Antwerp steamer *Bruges* was bombed off Le Havre where she was grounded and abandoned by her crew in June 1940. Her sistership *Malines*, was sunk on 29th July 1942 off the Egyptian coast near Port Said. The remaining vessel of the trio, the *Antwerp* became the Royal Navy escort vessel HMS *Antwerp* and survived the war.

The cargo ship *Felixstowe* (renamed HMS *Colchester*) became a salvage vessel and also survived to serve the route once more.

The other cargo ship *Sheringham* joined the Ministry of War Transport and was involved in the evacuation of the Channel Islands.

At the war's end, the Harwich fleet had

Foto's van de 1e en 2e klas salons aan boord van de *St.George*.

Views of the First and Second Class Lounges on the *St. George*.

Doug Fitzgerald collection

Harwich vloot vijf van de acht passagiersschepen verloren.

St. Denis	1908	overvallen in Rotterdam, verlaten en tot zinken gebracht in 5/1940. Geborgen door de Duitsers, werd opleidingsschip en herdoopt in *Barbara.* Na de oorlog hotelschip. Gesloopt in 1950.
Archangel	1910	gebombardeerd ten oosten van Schotland, opweg van Kirkwall naar Aberdeen in 5/1941.
Antwerp	1920	overleefde de oorlog en werd hierna alleen nog gebruikt voor troepentransporten.
Bruges	1920	gebombardeerd nabij Le Havre in 6/1940.
Malines	1922	gezonken voor Port Said in 7/1942. Gelicht en gesloopt in 1948.
Vienna	1929	overleefde de oorlog, maar werd hierna alleen nog gebruikt voor troepentransporten.
Prague	1930	kwam terug in de dienst.
Amsterdam	1930	op een mijn gelopen voor de Normandische kust in 8/1944.

Bovendien waren twee van de drie treinferries van de dienst Harwich – Zeebrugge gezonken.

Hieruit blijkt dus, dat de beide overgebleven eerste turbineschepen verloren waren gegaan, alsmede twee van de drie schepen van de Antwerpen dienst en het laatste schip van het Hoek van Hollandse trio. Van de drie overgebleven schepen zouden er twee alleen nog gebruikt worden voor troepentransporten en nooit meer in de

Ferry Publications Library

De *Koningin Juliana* tijdens de afbouw bij Cammell Laird Shipbuilders in Birkenhead, voor de in dienst stelling in oktober 1968.

SMZ's *Koningin Juliana* fitting out at Cammell Laird Shipbuilders, Birkenhead, prior to entering service in October 1968.

lost five of its eight passenger steamers.

St. Denis	1908	Caught in Rotterdam, abandoned and scuttled 5/1940. Salvaged by Germans, became training ship and renamed *Barbara.* Post-war accommodation ship. Scrapped 1950.
Archangel	1910	Bombed off E. Scotland en route Kirkwall–Aberdeen in 5/1941.
Antwerp	1920	Survived war but retained for trooping.
Bruges	1920	Bombed near Le Havre 6/1940.
Malines	1922	Sunk off Port Said 7/1942. Raised and scrapped 1948.
Vienna	1929	Survived war but retained for trooping.
Prague	1930	Returned to service.
Amsterdam	1930	Mined off Normandy Beaches 8/1944.

De *Arnhem* passeert het plaatsje Harwich in april 1968, tijdens haar laatste dagen in de dienst.

The *Arnhem* passing Harwich in her final days of service in April 1968.

Ferry Publications Library

normale dienst terugkeren. Dit betekent dat de *Prague* als enige voor-oorlogse schip beschikbaar voor de LNER was. Daar er geen schepen waren voor de zomerdienst naar Zeebrugge, werd deze stopgezet. Voor de Antwerpen dienst waren ook geen schepen meer beschikbaar. Vandaar dat de LNER de vracht- en passagiersschepen *Accrington* en *Dewsbury* (gebouwd in 1910 door Earle's of Hull) van de voormalige Great Central Railway inzette. In 1946 kwamen deze op de route en ze hadden slechts accomodatie voor 77 passagiers. Met twee van dergelijke oude schepen kon de route niet de voor-oorlogse klandizie meer krijgen en het verbaasde dan ook niemand, toen deze in februari 1950 werd opgeheven. De vrachtdienst bleef echter doorgaan met de *Dewsbury*, waarbij ruimte werd aangeboden voor 12 passagiers, totdat dit schip buiten dienst ging in begin 1959.

DE NA-OORLOGSE TROEPENDIENSTEN

De troependiensten, waarvoor de *Antwerp* en de *Vienna* werden aangehouden, werden uitgevoerd van 31 juli 1945 tot 26 september 1961. De auteurs zijn hun vriend Henk van der Lugt bijzonder erkentelijk voor het verstrekken van gegevens. De troependienst werd uitgevoerd door het Britse Ministry of War Transport en was bedoeld voor militairen van het Engelse Rijnleger (BAOR). Een aantal welbekende veerschepen werden voor dit doel gebruikt. De meesten van hen waren schepen uit de Ierse Zee, welke een voor een werden vrijgegeven en terugkeerden naar hun voor-oorlogse diensten. De eerste troepenschepen waren de *Royal Ulsterman* (van de Burns & Laird Line's Glasgow – Belfast dienst) en de *Duke of York* (van de London Midland & Scottish Railway's Heysham – Belfast dienst), welke vanuit Harwich vertrokken in de avond van 31 juli 1945. In de begin periode werden ook grote aantallen terugkerende Duitse krijgsgevangenen en ontheemden vervoerd, maar uiteindelijk bleven slechts drie schepen in dienst: de *Vienna*, de *Empire Parkeston* (ex *Prince Henry* van de Canadian National Railway) en de *Empire Wansbeck* (de voormalige Duitse mijnenlegger *Linz*).

Om de Engelse militairen op te vangen, werd een 'transit camp' ingericht op diverse plaatsen in Hoek van Holland. Van daar uit reden speciale militaire treinen naar diverse delen van West-Duitsland, maar gedurende de vijftiger jaren nam dit transport geleidelijk af, totdat in september 1961 besloten werd de troepen per vliegtuig te vervoeren. Het was

In addition, two of the three Harwich – Zeebrugge train ferries were sunk.

It will thus be seen that both of the original remaining turbine steamers were lost, as were two out of the three Antwerp steamers and the final ship of the Hook of Holland trio. Of the three vessels that remained, two were retained for trooping purposes and were never to see civilian service again. This left the *Prague* as the only pre-war passenger ship available to the LNER.

With no ships with which to run the summer Zeebrugge passenger service after the war, the link was discontinued. With no vessels available to operate to Antwerp, the LNER brought in the former Great Central Railway passenger/cargo steamers *Accrington* and *Dewsbury* (built in 1910 by Earle's of Hull) which were introduced on the route in 1946 and offered passenger capacity for just 77. With two old vessels such as these, the route failed to attract its pre-war patronage, and it was no surprise when it eventually closed in February 1950. It did, however, continue on a cargo-only basis with the *Dewsbury* offering space for a dozen passengers until her withdrawal early in 1959.

POST-WAR TROOPING

The trooping service for which the *Antwerp* and the *Vienna* were retained operated from 31st July 1945 until 26th September 1961 and the authors are grateful to their friend Henk van der Lugt for providing details. It was operated by the British Ministry of War Transport and was maintained for servicemen of the British Army on the Rhine (BAOR). A number of well-known short-sea vessels were used for this purpose, most of them Irish Sea ships which one by one were released and returned to their pre-war roles. The first troopships, the *Royal Ulsterman* (of the Burns & Laird Line's Glasgow – Belfast link) and the *Duke of York* (of the London Midland & Scottish Railway's Heysham – Belfast service), crossed from Harwich on the night of 31st July 1945. In the early days large numbers of returning German prisoners of war and displaced persons were also carried but eventually just three ships remained: the *Vienna*, the *Empire Parkeston* (ex *Prince Henry* of the Canadian National Railway) and the *Empire Wansbeck* (the former German minelayer, *Linz*).

To accommodate the British servicemen, a Transit Camp was built on several sites in the Hook of Holland. From there special military trains ran to various parts of West Germany, but during the fifties this transport

Ferry Publications Library

De *Koningin Juliana* was de eerste carferry van SMZ en kwam als de Nederlandse helft van de nieuwe geïntegreerde dienst in november 1968 in gebruik.

The *Koningin Juliana* was the first SMZ car ferry and entered service in November 1968 as the Dutch half of the new, integrated service.

de *Empire Wansbeck*, die op 26 september 1961 als laatste in Hoek van Holland aankwam en daarmee deze speciale dienst beëindigde.

De volgende schepen deden dienst, echter ook andere schepen waren voor kortere perioden ingezet.

gradually decreased until early in 1961 it was decided to move the troops by air. It was the *Empire Wansbeck* which arrived at the Hook of Holland on 26th September 1961 thereby closing this special service.

The following vessels were used although other ships were also operated for short periods of service.

Royal Ulsterman	31.07.45 – 16.11.45	Glasgow – Belfast
Duke of York	31.07.45 – 14.11.46	Heysham – Belfast
Ulster Monarch	01.08.45 – 16.08.45	Liverpool – Belfast
Vienna	01.08.45 – 01.07.60	Harwich – Hoek
Duke of Rothesay	07.08.45 – 14.09.46	Heysham – Belfast
St.Andrew	18.08.45 – 24.07.46	Fishguard – Rosslare
Antwerp	19.09.45 – 01.05.50	Harwich – Antwerpen
St.Helier	18.11.45 – 15.03.46	Weymouth – Kanaal Eil.
Empire Wansbeck	17.12.45 – 26.09.61	Duitse mijnenlegger
Manxman	16.03.46 – 24.02.49	Liverpool – Douglas
Empire Parkeston	04.04.47 – 25.09.61	cruises in USA
Biarritz	06.09.47 – 08.08.48	Folkestone – Boulogne

Betrekkelijk onbekend is, dat de Nederlandse Regering ook kort een speciale dienst onderhield van Rotterdam naar Harwich en Londen. De verbinding met Londen begon in het begin van juli 1945 tot het eind van maart 1946, terwijl die naar Harwich duurde van januari 1946 tot eind september van dat jaar.

Deze dienst werd gebruikt door Nederlandse Regerings-functionarissen, militairen en voor het terugbrengen van ontheemden. Vracht werd ook aangenomen en soms werden ondervoede kinderen naar Engeland gebracht voor medische doeleinden.

In Rotterdam meerden de schepen af in de Parkhaven/St. Jobskade/St. Jobshaven, aan het terrein dat eigendom was van Wm. H. Müller & Co, tevens agent van de route.

Bestudering van de afvaartschema's leerde, dat de Londen dienst erg onregelmatig voer, maar dat die naar Harwich normaal twee keer per week voer (woensdag en vrijdag

What is not often appreciated is that the Dutch Government also briefly ran a special service from Rotterdam to Harwich and London. The London connection commenced in early July 1945 until the end of March 1946, while that to Harwich lasted from January 1946 until the end of September that year. The services were used by Dutch Government staff, the military and for repatriating displaced persons. Freight was also accepted and occasionally underfed children were brought to England for medical purposes.

In Rotterdam the ships moored in the Parkhaven/St. Jobskade/St. Jobshaven which were owned by Wm. H. Müller & Co., the service's agents.

A study of the sailing schedules shows that the London service was very irregular but that to Harwich was normally twice a week (Wednesday and Friday to Harwich and Thursday and Saturday return). During busy periods crossings would be duplicated and it

FotoFlite

De *Amsterdam* op de ligplaats van de nachtdienst naar Hoek van Holland aan Parkeston Quay, terwijl de *Avalon* op de plaats van het aflosschip ligt.

In the night Hook berth at Parkeston Quay is the *Amsterdam*, while the *Avalon* sits in the relief berth.

naar Harwich en donderdag en zaterdag terug). Tijdens drukke perioden werden de diensten dubbel uitgevoerd en het was ook niet ongebruikelijk dat zelfs drie schepen een enkele dienst voeren.

De volgende schepen waren in gebruik:

was not unknown for three ships to operate a single service.

The following ships were used:

Batavier II	06.07.45 – 28.09.46
Oranje Nassau	27.08.45 – 29.06.46
Mecklenburg	21.11.45 – 04.04.46
Prinses Beatrix	03.07.46 – 28.09.46

Ferry Publications Library

Een interessante foto van de *Avalon* van oktober 1968, toen ze in charter van Gulf Oil voor de officiële opening van de Bantry Bay Oil Terminal in Ierland was. Hoewel erg klein naast de *Universe Ireland*, was de *Avalon* het grootste schip van British Rail op dat moment.

An impressive view of the *Avalon* seen here in October 1968 on charter to Gulf Oil for the official opening of the Bantry Bay oil terminal in Ireland. Although dwarfed by the *Universe Ireland*, the *Avalon* was at the time British Rail's largest vessel.

EEN NIEUWE HUISVESTING VOOR SMZ

De *Prague* heropende op 14 november 1945 de voor-oorlogse passagiersdienstdienst van Harwich naar Hoek van Holland, welke toen op basis van drie afvaarten per week plaats vond (vanuit Harwich op maandag-, woensdag- en vrijdagavonden en vanuit Hoek van Holland op dinsdag-, donderdag- en zaterdagavonden). De *Prague* lag in Parkeston Quay van zondagmorgen tot maandagavond, alwaar dan ketelwassen en ander onderhoud kon worden uitgevoerd. Het duurde tot de *Arnhem* in mei 1947 in de vaart kwam, voordat ze voor een dokbeurt tijdelijk buiten dienst kon.

Sedert de oprichting van de Stoomvaart Maatschappij Zeeland (SMZ) in 1875 voer ze op Engeland vanuit Vlissingen. Oorspronkelijk naar Queenborough, daarna naar Folkestone en van 1 januari 1927 naar Harwich Parkeston Quay.

Aanvankelijk werd verwacht, dat de *Mecklenburg* in juli 1945 zou worden vrijgegeven door de Royal Navy, maar uiteindelijk kwam ze pas in november te Rotterdam aan, waarna ze ingezet werd in de diensten van de Nederlandse Regering, zoals hierboven omschreven. Hierna moest ze een uitgebreide dokbeurt ondergaan om haar weer voor de normale passagiersdienst geschikt te maken, echter wanneer die dienst kon beginnen was niet bekend. De angst bestond, dat de haven van Vlissingen en de infrastructuur zo zwaar beschadigd zou zijn, dat de dienst daar niet meer terug kon komen. Niet alleen lag de haven in puin, maar ook de belangrijke spoorverbindingen waren verbroken. Het kantoor en de werkplaatsen van de maatschappij waren ook vernietigd. Op 1 april 1946 verhuisde de SMZ naar een tijdelijke ruimte in de kantoren van Wm. H. Müller & Co aan de Jobshaven te Rotterdam.

Begin februari 1946 werd de vrachtdienst

A NEW HOME FOR SMZ

On 14th November 1945, the *Prague* reopened the post-war civilian service from Harwich to the Hook of Holland which was then operated on a thrice-weekly basis (from Harwich on Monday, Wednesday and Friday evenings and from the Hook of Holland on Tuesday, Thursday amd Saturday evenings). The *Prague* would lie alongside at Parkeston Quay from Sunday morning until Monday evening, when boiler cleaning and other maintenance would take place. It was not until the advent of the new *Arnhem* in May 1947 that she could be spared for overhaul.

Since its foundation in 1875, the Zeeland Steamship Company (SMZ) had operated to England from Flushing. This had originally been to the port of Queenborough, then to Folkestone and from 1st January 1927 to Harwich Parkeston Quay.

The *Mecklenburg* was expected to be released by the Royal Navy in July 1945, but in the event did not arrive in Rotterdam until November, after which time she took up the Dutch Government services, as mentioned above. At its conclusion she was subject to an extensive refit to prepare her for civilian service, although just when that service would actually commence was not known. There were fears that the port of Flushing and its infrastructure were so badly damaged that the

De *St.Edmund* kort na de te water lating op 14 november 1973.

The *St. Edmund* seen shortly after her launch on 14th November 1973.

Doug Fitzgerald collection

De *Avalon* afgemeerd in Kopenhagen tijdens een van haar cruises buiten het seizoen.

The *Avalon* captured at Copenhagen during one of her off-season cruises.

De *Koningin Juliana* passeert de Ha'penny Pier in Harwich in 1978.

The *Koningin Juliana* passing the Ha'penny Pier at Harwich in 1978.

naar Rotterdam weer hervat met de gecharterde *Lynn Trader*. Nadat de *Sheringham* weer in de vaart was op 23 maart, kon vanaf 1 april weer regelmatig met twee afvaarten per week worden gevaren (maandag en woensdag van Rotterdam).

Op 13 april 1946 keerde de *Prinses Beatrix* voor het eerst sinds het eind van de oorlog terug in Vlissingen. Tijdens de oorlog was ze compleet verbouwd en nog zo'n grondige verbouwing was nodig, om haar weer geschikt te maken voor de normale dienstuitvoering. De order werd aan haar bouwers, De Schelde te Vlissingen, gegund. Op dat moment werd besloten, dat de oude *Oranje Nassau* sneller in dienst gesteld kon worden en daarom werd zij weer geschikt gemaakt, terwijl de *Prinses Beatrix* terugkeerde naar de troependienst.

De *Oranje Nassau* had de jaren 1941 – 1945 doorgebracht in Holyhead, dienstdoende als depôt- en hotelschip voor de Nederlandse Koninklijke Marine en had

service might never return there. Not only was the port in ruins, but the all-important railway connections were severed and the company's offices and workshops in Flushing had also been destroyed. From 1st April 1946 SMZ moved into temporary accommodation in Wm. H. Müller's offices in the Jobshaven at Rotterdam.

The Rotterdam cargo service recommenced during early February 1946 with the

De *Avalon* komt aan te Parkeston Quay na haar laatste reis op de route Harwich – Hoek van Holland.

The *Avalon* arriving at Parkeston Quay on her last day in service on the Harwich – Hook route.

Nick Robins

De *St.Edmund* vaart de Stour af naar zee, bij het passeren van Harwich in juli 1978.

The *St. Edmund* heads down the Stour past Harwich in July 1978.

John Hendy

Frank Haalmeijer collection

De *Koningin Juliana* in het begin van de jaren zeventig in Hoek van Holland.

The *Koningin Juliana* at the Hook of Holland in the early seventies.

daardoor minder onderhoud nodig. Om zo spoedig mogelijk een dagelijkse dienst te kunnen beginnen, kwam ze op maandag 29 juli 1946 beschikbaar voor de nachtdienst Hoek van Holland – Harwich, waar ze tegengesteld aan de *Prague* kwam te varen. Op zondag was er geen afvaart. De dienst werd niet dagelijks, zolang de *Mecklenburg* nog niet terug was. Dit schip begon op zaterdag 14 juni 1947 de dagdienst vanuit Harwich. De nachtdienst werd dagelijks uitgevoerd gedurende de zomer van 1950 en vanaf 20 mei 1951 het gehele jaar door.

Het duurde tot begin 1947, voordat de SMZ uiteindelijk besloot, dat haar toekomst in Hoek van Holland lag, hoewel de Nederlandse Regering anders dacht. Dit verschil van mening bleef tot 1953 bestaan. Tijdens de zomerseizoenen tussen 1949 en 1952 zijn pogingen gedaan om een mid-week dienst tussen Vlissingen en Folkestone te heropenen, waarbij van de *Mecklenburg* gebruikt gemaakt werd. Dit is nooit een succes geworden en helaas werd dit niet voortgezet.

chartered vessel *Lynn Trader*. With the *Sheringham* back on station on 23rd March a regular service restarted on a twice weekly basis (Mondays and Wednesdays from Rotterdam) as from 1st April.

On 13th April 1946 the *Prinses Beatrix* returned to Flushing for the first time since the war's end. During hostilities she had been completely rebuilt and another complete rebuild was necessary to return her to civilian use. The order was given to her builders, the De Schelde yard in Flushing, but it was then decided that it was possible to return the old *Oranje Nassau* to service sooner and so she was made ready while the *Prinses Beatrix* returned to trooping.

The *Oranje Nassau* had spent the years from 1941 – 45 based at Holyhead serving as a depot and accommodation ship for the Royal Netherlands Navy, and therefore needed minimum attention. In order to commence a daily service as soon as possible, immediately she was available, on Monday 29th July 1946 she was transferred to the

Ferry Publications Library

De tewaterlating van de *Prinses Beatrix* in Heusden op 14 januari 1978.

The launch of the *Prinses Beatrix* at Heusden on 14th January 1978.

Ferry Publications Library

De *Prinses Beatrix* van SMZ wordt in een voorjaarszonnetje naar de afbouwkade gemanoeuvreerd.

SMZ's *Prinses Beatrix* captured in the spring sunshine being manoeuvred in the yard during fitting out.

Ferry Publications Library

The *Prinses Beatrix* pictured leaving the New Waterway for trials in the North Sea.

The *Prinses Beatrix* pictured leaving the New Waterway for trials in the North Sea.

Hoewel SMZ in juli 1947 haar kantoren naar Hoek van Holland verhuisde, werden de werkplaatsen herbouwd in Vlissingen en dat was tevens de plaats waar de schepen werden opgelegd tot het eind van 1978, toen het laatste conventionele SMZ passagiersschip, de *Koningin Wilhelmina* naar Griekenland werd verkocht. Na deze tijd werden de werkplaatsen in Vlissingen afgebroken en de historische band tussen de scheepvaart maatschappij en de stad werd verbroken.

Dringend was nieuwe tonnage nodig. Daarom liet de LNER geen tijd verloren gaan met het bestellen van de *Arnhem*, welke in november 1946 te water werd gelaten op John Brown's Clydeside werf. De naam was gekozen ter herinnering aan de Slag om Arnhem, waarbij de Britse First Airborne Division in 1944 betrokken was geweest.

Het ontwerp van het nieuwe schip was eigenlijk voor-oorlogs, hoewel ze was uitgerust met één schoorsteen. Om ook de cruise markt weer op te kunnen nemen, werd ze als één klasse schip ingericht.

Voordat ze op de route werd ingezet op 26 mei 1947, bracht de *Arnhem* eerst op 23 mei een beleefdheidsbezoek aan Rotterdam, waar ze werd bezocht door H.K.H. Prinses Juliana. Het in dienst gestelde nieuwe schip vulde de afvaarten van *Prague* aan, die daardoor aan het eind van het jaar voor een uitgebreide dokbeurt naar Clydebank kon

Hook of Holland – Harwich night service where she ran opposite the *Prague*. There was no service on Sundays. The service did not become daily until the reappearance of the *Mecklenburg* which took up the day service from Harwich on Saturday 14th June 1947. The night service became daily during the summer of 1950 and year-round as from Sunday 20th May 1951.

It was not until early 1947 that SMZ finally decided that its future lay at the Hook of Holland, although the Dutch Government thought otherwise and these differences of opinion remained until 1953. During the summer seasons between 1949 – 1952, an attempt was made to re-establish a mid-week Flushing – Folkestone service using the *Mecklenburg,* but this was never successful and was sadly discontinued.

Although SMZ moved offices to the Hook of Holland in July 1947, their workshops were rebuilt at Flushing, and that is where the vessels were laid-up until the end of 1978, when the last SMZ passenger ship, the *Koningin Wilhelmina* was sold to Greece. After this time the workshops were demolished and the historic link between shipping company and town was broken.

Urgently requiring new tonnage, the LNER wasted little time in ordering the *Arnhem* which went down the ways at John Brown's Clydeside yard in November 1946.

The *St. George* arriving at the Hook of Holland.

The *St. George* arriving at the Hook of Holland.

Ferry Publications Library

Frank Haalmeijer collection

De *Koningin Wilhelmina* werd op 28 juni 1978 buiten dienst gesteld, gevolgd door het in gebruik nemen van de *Prinses Beatrix*.

The *Koningin Wilhelmina* was withdrawn from service on 28th June 1978, following the entry into operation of the *Prinses Beatrix*.

terugkeren. Het noodlot sloeg toe op 14 maart 1948, toen ze zwaar beschadigd werd door brand en later tot 'constructive total loss' werd verklaard. Met dit verlies mee waren zes van de acht voor-oorlogse LNER-schepen verloren gegaan, terwijl de twee anderen (de troepenschepen *Antwerp* en *Vienna*) niet gebruikt konden worden op de diensten, waarvoor ze gebouwd waren.

Van alle Engelse Kanaal- en Noordzeediensten, hebben die uit Harwich in de twee wereldoorlogen de zwaarste tol moeten betalen. De problemen, waar de plaatselijke managers nu mee geconfronteerd werden, gingen echter de London & North Eastern Railway Company niet meer aan.

The name was chosen out of respect for the Dutch town in and near which the British First Airborne Division had been involved in the battle of 1944.

The design of the new ship was basically pre-war, although she was built with a single funnel and, in order to pick-up the cruise market once again, she was fitted out as a one-class steamer.

Prior to entering service on 26th May 1947, the *Arnhem* made a courtesy call to Rotterdam on 23rd May where she was inspected by H.R.H. Princess Juliana. The entry into service of the new ship supplemented the sailings of the *Prague* which at the end of the year returned to Clydebank to receive an extensive overhaul. Disaster struck on 14th March 1948 when she was gutted by fire and later declared a constructive total loss. With her passing, six of the eight pre-war LNER Harwich fleet had been lost while the two others (the troopships *Antwerp* and *Vienna*) were unable to be used on the services for which they were built.

Ferry Publications Library

De onder Engelse vlag varende *St.George* lost te Hoek van Holland na binnenkomst in de dagdienst uit Engeland. Aan de laadbrug is te zien, dat de dienst gezamelijk door SMZ en Sealink werd uitgevoerd.

The British registered *St. George* unloading at Hook of Holland following her afternoon arrival from Britain. The linkspan displays the joint ferry operation of SMZ and Sealink.

NATIONALISATIE

Op nieuwjaarsdag 1948 nationaliseerde de Labour Regering van mr. Attlee de 'Grote Vier' Engelse spoorwegmaatschappijen en hiermee ontstond British Railways.

De schepen in Harwich kwamen onder de hoede van British Railways (Eastern Region) en de eerste taak van de scheepvaart-afdeling was een partner te vinden voor het laatste schip van de LNER, de *Arnhem*.

Terwijl de Harwich-vloot gedurende de oorlog was gedecimeerd, waren de schepen van de Heysham-Belfast dienst van de London Midland & Scottish Railway ongedeerd gebleven en daarom werd het turbine stoomschip *Duke of York* (in 1935 gebouwd door Harland & Wolff in Belfast) uitgekozen om zich bij de *Arnhem* te voegen.

Zoals we gezien hebben, was dit schip gedurende 1945-46 bij de troependienst betrokken, maar nu keerde ze terug naar Harwich, waar ze op de laatste dag van mei 1948 in dienst kwam bij de Eastern Region. Ze verving de *St. Andrew* van de Fishguard-Rosslare dienst, die vanaf het midden van

Of all the British cross-Channel and North Sea short-sea fleets, it was Harwich which in two world wars had paid the heaviest price. However, the problems which now faced the local managers were no longer the concern of the London & North Eastern Railway Company.

NATIONALISATION

On New Year's Day 1948, Mr. Attlee's Labour Government nationalised Britain's 'Big Four' railway companies and British Railways was born.

The Harwich fleet came under the wing of British Railways (Eastern Region) and the Marine Section's first job was to find a running partner for the LNER's last ship, the *Arnhem*.

Whereas the Harwich fleet had been decimated by war, the Heysham – Belfast fleet of the London Midland & Scottish Railway had remained unscathed, and so the turbine steamer *Duke of York* (built by Harland & Wolff at Belfast in 1935) was

Een indrukwekkend gezicht van de *Prinses Beatrix* als ze de Nieuwe Waterweg uitvaart.

The *Prinses Beatrix* makes an impressive sight as she heads out of the New Waterway.

april gebruikt was. Andere schepen uit de Ierse Zee zouden ook kort op de dienst verschijnen, ten eerste de *Duke of Argyll* van de Heysham-Belfast dienst van medio september tot eind oktober 1948, waardoor de beide Engelse schepen een onderhoudsbeurt konden krijgen. Het zusterschip *Duke of Rothesay* deed dienst in januari 1949, de *'Argyll'* weer in mei en begin juni en de *'Rothesay'* weer van eind september tot begin november van dat jaar. Ook het jaar 1950 bracht een verzameling bezoekers; de moderne *St. David* uit Fishguard deed dienst tussen eind januari en medio februari van dat jaar en de derde van de 'Heysham Dukes', de *Duke of Lancaster* verscheen van medio april tot 20 mei.

Aan de Hollandse zijde werden de teruggekeerde troepenschepen *Koningin Emma* en *Prinses Beatrix* gedurende 1947 en

Bernard McCall

selected to join the *Arnhem.*

As will have been seen, this steamer had been involved with the troop service during 1945 – 46 but now returned to Harwich where she entered service for the Eastern Region on the last day of May 1948. She

Als gevolg van het uitbreken van de Falkland Oorlog, werd de *Prinz Oberon* gecharterd om de plaats van de *St.Edmund* in te nemen.

Following the outbreak of the Falklands War, the *Prinz Oberon* was chartered to cover for the *St. Edmund.*

Steffan Weirauch collection

De nieuwe ferry voor Sessan Line, bouwnummer 909, in afwachting van afbouw bij de bouwers in Gothenburg.

Sessan Line's new ferry 'No 909' awaiting final fitting-out at her builders at Gothenburg.

Ferry Publications Library

Een morgenopname in de mond van de Nieuwe Waterweg met de *St.Nicholas,* nog steeds onder Zweedse vlag, voor de eerste keer binnenkomend, terwijl de *Prinses Beatrix* naar Harwich uitvaart.

A morning view in the entrance of the New Waterway with the *St. Nicholas* approaching the Hook for the first time, and still flying the Swedish flag, while the *Prinses Beatrix* sails to Harwich.

Nick Robins

Op 8 april 1974 werd de *St.George* gefotografeerd bij het passeren van Harwich, opweg naar Hoek van Holland.

Underway for the Hook, the *St. George* is pictured passing Harwich on 8th April 1974.

1948 verbouwd en opgeknapt voor de passagiersdienst. In het laatst genoemde jaar werden zij ingezet in de dagdienst tussen Hoek van Holland en Harwich, hoewel ze aanvankelijk Vlissingen als thuishaven behielden. De *Koningin Emma* werd van 15 juni tot 30 september 1948 aan Wm. H. Müller & Co. verhuurd voor de Rotterdam – Londen (Tilbury) dienst, terwijl van 1949 tot September 1952 de *Oranje Nassau* gedurende de zomermaanden werd gecharterd. Het vrachtvervoer bereikte snel het vooroorlogse niveau, maar het passagiersvervoer groeide slechts langzaam.

Op 19 januari 1950 werd het nieuwe schip van British Railways (Eastern region), de *Amsterdam* tewater gelaten op de werf van John Brown in Clydebank. Ze kwam op 29 mei in Harwich aan onder commando van kapitein C. Baxter. Het nieuwe schip was een verbeterde versie van de *Arnhem*, het derde schip dat die naam droeg en had accomodatie voor 675 passagiers (321 in de eerste klas). Ze kwam op 11 juni in dienst.

Nu de *Amsterdam* in dienst was, werd de *Duke of York* ingezet vanuit Southampton gedurende het hoogseizoen van 1950. Van

replaced the Fishguard – Rosslare steamer *St. Andrew* which had been in operation since mid-April. Other Irish Sea vessels were also to briefly appear on the link, firstly in the form of the Heysham – Belfast steamer *Duke of Argyll* which allowed both British ships to overhaul from mid-September to the end of October 1948. Sistership *Duke of Rothesay* served in January 1949, the 'Argyll' again in May and early June and the 'Rothesay' again in late September until early November that year. The year 1950 also brought a crop of visitors, with Fishguard's modern *St. David* serving between late January and mid-February and the third of the Heysham 'Dukes', the *Duke of Lancaster* appearing from mid-April until 20th May.

On the Dutch side, the repatriated troop ships *Koningin Emma* and *Prinses Beatrix* were rebuilt and refurbished for civilian service in 1947 and 1948, and in the latter year, while originally retaining their port of registry as Vlissingen, they took their places on the day service from the Hook of Holland to Harwich. The *Koningin Emma* was chartered to Wm. H. Müller & Co. from 15th June until 30th September 1948 for the

De *Keren* (ex *St.Edmund*) in 1982 onderweg naar de Falkland Eilanden, nadat ze verkocht was aan het Ministry of Defense.

The *Keren* (ex *St Edmund*) on passage to the Falkland Islands in 1982, following her sale to the Ministry of Defence.

FotoFlite

begin juli tot eind september voer ze twee keer per week naar Cherbourg en elke vrijdag avond naar Guernsey. Aan het einde hiervan werd ze terug gestuurd naar de bouwwerf om omgebouwd te worden tot oliestoker. Tegelijkertijd werden haar twee schoorstenen vervangen door een enkel elliptisch exemplaar en onderging haar accomodatie een grondige modernisering. De *'Duke'*, die er nu moderner uitzag, keerde in mei 1951 naar Harwich terug en werd gedurende die zomer op de Holyhead-Dun Loaghaire dienst gebruikt.

1951 was het laatste jaar, waarin de bezoekers uit de Ierse Zee nodig waren om af te lossen. De *Duke of Argyll* was weer terug in de eerste drie weken van februari en de *St. David* deed dienst van medio april tot medio mei.

Tijdens de stormvloed van 31 januari 1953 werd de steiger in Hoek van Holland zwaar beschadigd en gedurende een maand werd de dagdienst verplaatst naar Rotterdam, waar de schepen afmeerden aan de Jobskade.

DE LAATSTE CONVENTIONELE PASSAGIERSSCHEPEN

In de vroege uren van 6 mei 1953, was de *Duke of York* – onderweg uit Hoek van Holland met 473 passagiers en 72 bemanningsleden aan boord – betrokken bij een afschuwelijke aanvaring met het Amerikaanse vrachtschip *Haïti Victory* nabij het lichtschip *Outer Gabbard*. De treinferry *Norfolk Ferry* en de *Dewsbury* van de Antwerpen-dienst behoorden tot de vele schepen, die te hulp snelden. Door de kracht van de aanvaring brak het voorschip van de *Duke of York* af, liep snel vol met water en zonk, waarbij acht mensen verdronken.

Gelukkig hielden de waterdichte schotten en de overblijvende passagiers en bemanningsleden werden door het Amerikaanse schip aan boord genomen voordat de *Duke of York* achterstevoren naar de haven werd gesleept door de sleepboot *Empire Race*. De *'Duke'* werd

Rotterdam – London (Tilbury) service while in 1949 through to September 1952 the *Oranje Nassau* was chartered during the summer months. Freight quickly reached pre-war levels although passenger traffic was slow to build.

On 19th January 1950, the new British Railways (Eastern Region) vessel *Amsterdam* was launched at John Brown's Clydebank yard.

She arrived at Harwich on 29th May under the command of Captain C. Baxter. A modified version of the *Arnhem*, the new ship was the third vessel to carry the name and could accommodate 675 passengers (321 First Class). She entered service on 11th June.

With the *Amsterdam* now in service, the *Duke of York* was switched to Southampton during the peak summer season of 1950, operating from early July until late September on a twice weekly Cherbourg service in addition to a Friday night sailing to Guernsey. On completion of this she was sent back to her builders to be converted to oil burning. At the same time her two funnels were replaced by a single elipitical uptake and her accommodation underwent a thorough modernisation. The more modern-looking 'Duke' duly returned to Harwich in May 1951 and during that summer was used on the Holyhead – Dun Laoghaire service.

The year 1951 was the last year in which the Irish Sea visitors were required to relieve, with the *Duke of Argyll* back again in the first

Vóór de aflevering van de *Koningin Beatrix*, charterde de SMZ tijdelijk de Noorse veerboot *Peter Wessel*. Het gecharterde schip werd omgedoopt in *Zeeland*.

As a stop gap, prior to the delivery of the *Koningin Beatrix*, SMZ chartered the Norwegian ferry *Peter Wessel*. The chartered ship was renamed the *Zeeland*.

Miles Cowsill

In het voorjaar van 1986 liggen er drie ferries in Hoek van Holland. De gecharterde *Armorique* is gefotografeerd aan de nieuwe ligplaats, terwijl de *Prinses Beatrix* en de *Zeeland* aan de oude ligplaatsen liggen.

Three ferries at the Hook of Holland in Spring 1986. The chartered *Armorique* is pictured at the new linkspan, whilst the *Princes Beatrix* and the *Zeeland* are berthed at the original linkspans.

uiteindelijk naar de Tyne gebracht, waar gedurende de volgende tien maanden een nieuw, overhellend voorschip werd aangebracht. Hierdoor werd het schip ongeveer zeven voet (2,10 m.) langer.

Tijdens de aanvaring lag de *Arnhem* in dok en British Railways, die toen zonder schip zat, charterde snel de *Koningin Emma*, die in Hoek van Holland werd gereedgemaakt voor een cruise. Zij voer naar Harwich en kon op de dag van de aanvaring de nachtdienst overnemen. Dit duurde voort tot 18 mei, toen de *Arnhem*

three weeks of February and the *St. David* serving from mid-April until mid-May.

During the storms and floods of 31st January 1953, the quays at the Hook of Holland were badly damaged and for a month, the day service was re-routed to Rotterdam where the vessels berthed at the Jobskade.

THE FINAL TRADITIONAL PASSENGER SHIPS

In the early hours of 6th May 1953, when inward-bound from the Hook of Holland with 473 passengers and 72 crew on board, the *Duke of York* was involved in a horrendous collision with the American freight ship *Haiti Victory* near the Outer Gabbard light vessel. The train ferry *Norfolk Ferry* and the Antwerp steamer *Dewsbury* were amongst the many ships which raced to the rescue. The force of the crash completely severed the *Duke of York's* fo'c'sle which quickly filled and sank taking eight people with it.

John Hendy

De *St.Nicholas* bij aankomst in Dover op 27 maart 1984 voor de presentatie van de nieuwe kleurstelling van Sealink, voorafgaand aan de privatisering.

The *St. Nicholas* arriving at Dover at the launch of the new image and livery of Sealink, prior to privatisation on 27th March 1984.

Nick Robins

De *St.Nicholas* bij het uitvaren van de Stour, waarbij duidelijk de kleuren van 'Sealink British Ferries' zijn te zien.

The *St. Nicholas* heading down the River Stour sporting the 'Sealink British Ferries' livery.

terugkeerde. De 44 jaar oude *Oranje Nassau* werd tijdens de zomer ook gecharterd om extra reizen uit te voeren. Op 17 juli vertrok ze uit Schiedam, waar ze opgelegd was en ze maakte maar zeven rondreizen, waarbij ze op vrijdagen uit Harwich vertrok en op zaterdagen uit Hoek van Holland. Gedurende de week bleef ze in Engeland. Op 30 augustus 1953 's ochtends kwam ze voor het laatst in Harwich aan, als tweede schip met de *Arnhem*, waarna ze direkt naar Schiedam voer om opgelegd te worden. De *Duke of York* kwam uiteindelijk op 25 januari 1954 weer in dienst en gedurende haar afwezigheid, liet men de *Normannia* van de nachtdienst Southampton-Le Havre van de Southern Region in september/oktober 1953 komen, om tien rondreizen te maken.

De oude *Oranje Nassau* had nu het einde van haar vermaarde loopbaan bereikt en na een periode 'stand-by' werd ze op 10 juli 1954 voor de sloop verkocht aan N.V. Holland te Hendrik Ido Ambacht waar ze twee dagen later aankwam. In april was ze gedokt om haar schroeven en schroefassen te verwijderen. Een prachtig model van dit schip is heden te zien op dek 9 van de *Koningin Beatrix*.

Met een groeiend passagiers- en vrachtvervoer, zag SMZ nu uit naar een vervanging voor de *Mecklenburg* en in juni 1956 bestelden ze hun laatste conventionele passagiersschip bij de werf 'De Merwede' in Hardinxveld. Op 30 mei 1959, werd het nieuwe, er futuristisch uitziende schip, tewater gelaten door H.M. Koningin Juliana en *Koningin Wilhelmina* gedoopt. Ze zou het eerste motorschip worden dat speciaal voor de route werd ontworpen en het eerste dat werd uitgerust met stabilisatoren en een boegschroef voor het manoevreren met weinig vaart in nauwe vaarwaters.

De *Mecklenburg* werd op 25 oktober 1959 uit dienst genomen en drie dagen later voer ze naar Schiedam om opgelegd te worden, in

Fortunately the main bulkheads held and the remaining passengers and crew were taken on board the American ship before the *Duke of York* was towed stern-first to port by the tug *Empire Race*. The 'Duke' was eventually taken to the Tyne for a further ten months during which time a new, raked, bow section was added, giving her some seven feet extra length.

At the time of the collision, the *Arnhem* was in dry dock and without a ship, British Railways hastily chartered the *Koningin Emma* which was at the Hook of Holland preparing for a cruise. She sailed to Harwich and was able to take the night service on the same day of the accident. This continued until 18th May at which time the *Arnhem* returned. The 44 year old *Oranje Nassau* was also chartered during the summer period to operate extra sailings. She left lay-up at Schiedam on 17th July and operated just seven round trips, departing Harwich on Fridays and the Hook of Holland on Saturdays. During the week she remained on the British side and made her final arrival at Harwich on the morning of 30th August 1953 (as a duplicate for the *Arnhem*) after which she proceeded directly to Schiedam for lay-up. The *Duke of York* eventually returned to service on 25th January 1954 and during her absence the Southern Region's overnight Southampton – Le Havre steamer *Normannia* was also called in to assist with ten round sailings in September-October 1953.

The veteran *Oranje Nassau* had now reached the end of her illustrious career and after a period of stand-by she was sold on 10th July 1954 for scrapping by N.V. Holland at Hendrik-Ido-Ambacht where she arrived two days later. During April she had been dry-docked to remove her propellers and propeller shafts. A magnificent model of this steamer can be seen today on Deck 9 of the *Koningin Beatrix*.

With the passenger and cargo continuing to expand, SMZ now looked for a replacement for the *Mecklenburg* and in June

John Hendy

Kapitein Klaas Kikkert op de bakboordsbrugvleugel van de *Prinses Beatrix*, tijdens het aanlopen van Parkeston Quay.

Captain Klaas Kikkert on the port bridge wing of the *Prinses Beatrix*, approaching Parkeston Quay.

Ferry Publications Library

H.M. Koningin Beatrix laat haar naamgenoot te water op 9 november 1985.

H.M. Queen Beatrix launching her namesake on 9th November 1985.

Een indrukwekkende foto van de *Beatrix* op volle snelheid langs de kust van Essex.

An impressive view of the 'Beatrix' at speed off the Essex coast.

FotoFlite

Een echt Hollands beeld in Hoek van Holland, met de *Koningin Beatrix* uitvarend naar Harwich.

Opposite page: A very Dutch scene at the Hook of Holland, with the *Koningin Beatrix* outward bound for Harwich.

afwachting van verkoop. Op 15 mei 1960 kwam het prachtige schip aan in Gent (België) voor sloop.

Nu was het de beurt van de *Duke of York* om uit dienst genomen te worden en in september 1961 bestelde de British Transport Commission haar laatste conventionele passagiersschip bij Alexander Stephen & Sons in Linthouse, Glasgow. Met het oog op het opnieuw invoeren van de vooroorlogse cruises, werd het £2 miljoen kostende schip uitgerust voor excursies buiten het seizoen. Ze werd op 7 mei 1963 tewater gelaten met de naam van het eerste schip van de Great Eastern – *Avalon.*

Na haar aankomst te Parkeston Quay, werd ze officiëel gedoopt door Dr. Richard Beeching, de voorzitter van de directie van British Railways, voordat ze op 25 juli aan haar eerste reis naar de Hoek begon. De *Duke of York* werd op 20 juli 's morgens, na aankomst te Parkeston Quay uit dienst genomen en eindige haar bestaan als *Fantasia* in de oostelijke Middellandse Zee in dienst van de Chandris Lines.

De *Avalon* maakte haar eerste cruises in april 1964 en in de volgende tien jaar bezocht ze een aantal populaire bestemmingen tussen de Noordkaap en Casablanca. Met de toename van

1956 ordered their final passenger-only vessel from the De Merwede yard in Hardinxveld. On 30th May 1959, the new, futuristic-looking, ship was launched by H.M. Queen Juliana and christened *Koningin Wilhelmina.* She was to be the first ship specifically designed for the link to be fitted with stabilizers and a bow-thrust unit for manoeuvring at slow speeds in confined spaces.

The *Mecklenburg* was retired on 25th October 1959 and three days later she sailed to Schiedam for lay-up pending sale. On 15th May the following year this splendid vessel arrived at Ghent, Belgium, for breaking.

It was now the turn of the *Duke of York* to be retired from service and in September 1961, the British Transport Commission ordered its final passenger ferry from Alexander Stephen & Sons of Linthouse, Glasgow. With half an eye on reviving the pre-war cruise market, the new £2 million ship was fitted-out to give off-peak excursions. She was launched on 7th May 1963 and revived the name of the Great Eastern's first steamer – *Avalon.*

Al het werk aan de bouw van de *Koningin Beatrix*, tot aan de tewaterlating, werd op de werf van Van der Giessen op de overdekte helling gedaan. Het was een indrukwekkend gezicht, toen deze twaalf dekken tellende veerboot, te water gleed.

All the building work until the launch of the *Koningin Beatrix* was undertaken inside at the Van der Glessen yard's covered slipway. The twelve decks of this massive ferry make an impressive sight as she slides into the water.

Ferry Publications Library

John Hendy

Ferry Publications Library

De *Koningin Beatrix* voor Hoek van Holland, nog voordat ze in dienst gesteld werd. Let op de afwezigheid van de kroon in de schoorsteen.

The *Koningin Beatrix* off the Hook of Holland prior to her entry into commercial service. Note in this picture the absence of the Crown on the funnel.

het begeleide autoverkeer was het voor velen een verassing dat British Railways in dit stadium nog een conventioneel schip voor de Harwich-Hoek route in de vaart wilde brengen. Toen de *Avalon* in dienst gesteld werd, stond het teken al aan de wand voor veel historische passagiers verbindingen met het vaste land. De wensen van de passagiers waren aan het veranderen en ferryreders moesten schepen bouwen, die aan deze wensen tegemoet kwamen. Rij-op ferries waren sinds 1953 in Dover in gebruik en zowel vanuit Newhaven als vanuit Southampton voeren dergelijke schepen vanaf 1964. De Belgische Overheid had voor de oorlog al schepen in de vaart gehad, die speciaal waren ontworpen voor het vervoer van auto's. Ook SMZ had een systeem bedacht, waarbij auto's direct in het ruim van een schip gereden konden worden over een klep, vanaf het drijvende ponton, waarlangs de schepen afmeerden.

In september 1946 reeds, had de Atlantic Steam Navigation Company het gemak van een rij-op dienst voor vrachtwagens aangetoond, waarbij ze gebruik maakten van een verbouwd landingsvaartuig uit de oorlog. De *Empire Baltic* vevoerde ongeveer 64 vrachtwagens op haar

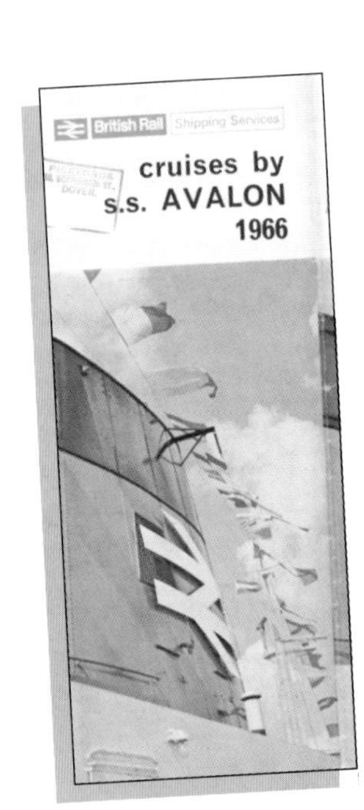

Miles Cowsill

Een gezicht naar voren aan bakboordzijde van de *Koningin Beatrix*.

A view looking forward on the port side on the *Koningin Beatrix*.

On her arrival at Parkeston Quay, she was officially named by Dr. Richard Beeching, the Chairman of the British Railways Board, before making her maiden voyage to the Hook of Holland on 25th July. The *Duke of York* finally paid off on her arrival at Parkeston Quay on the morning of 20th July before ending her days operating for Chandris Lines in the eastern Mediterranean where she traded as the *Fantasia.*

The *Avalon* gave her first cruises in April 1964 and in the following ten years visited a number of popular destinations between the North Cape and Casablanca. With the increase in accompanied car traffic, it was a surprise to many that, at this late stage, British Railways should wish to introduce a traditional vessel for the Harwich – Hook of Holland route. By the time that the *Avalon* entered service the writing was on the wall for many historical passenger links with the Continent. Passenger trends were changing and ship owners had to build ships to cater for these changes. Drive-on car ferries had been in operation at Dover since 1953 and both Newhaven and Southampton introduced similar ships in 1964. The Belgian Government had operated ships specially designed for the carriage of cars since before the war, and SMZ too had devised a system at Flushing whereby cars could be driven directly into a ship's hold via the floating pontoon alongside which they berthed.

As early as September 1946, the Atlantic Steam Navigation Company had illustrated the ease of using a roll-on service for commercial vehicles using a converted war-time tank landing craft. The *Empire Baltic*

Foto Flite

De *St. Nicholas* tijdens haar eerste seizoen op route Harwich – Hoek van Holland.

The *St. Nicholas* seen during her first season on the Harwich-Hook service.

John Hendy

In de Sealink British Ferries kleuren ziet u de *St. Nicholas* in 1986, bij het passeren van Harwich, opweg naar Hoek van Holland.

Sporting the livery Sealink British Ferries in 1986, the *St. Nicholas* is seen here passing Harwich on passage to the Hook of Holland.

Nog een foto van de *Beatrix* op volle snelheid langs de kust van Essex.

Another view of the 'Beatrix' at speed off the Essex coast.

route tussen Tilbury en Rotterdam en gedurende het begin van de 50-er jaren groeide de voorloper van de huidige Felixstowe – Europoort route, snel.

De taak van British Railways en haar voorgangers was het massa vervoer van voetpassagiers en carferries kwamen in haar denkwijze niet voor, zeker niet op de langere routes. Toen de Southern Region in 1948 werd gevormd, was de autoveerdienst al gevestigd in Dover en nu evalueerde British Railways haar diensten over de Ierse Zee (met uitzondering van de verbinding tussen Schotland en Ierland over het North Channel).

De *Avalon* zou slechts vijf jaar vanuit Harwich varen, voordat carferries in de vaart

carried as many as 64 lorries on her service from Tilbury to Rotterdam, and during the early 1950s, the precursor of today's Felixstowe – Europoort link had quickly expanded.

The business of British Railways and its predecessors was the mass carriage of foot passengers, and car ferries were alien to its way of thinking, especially on the longer routes. The Southern Region had come into being in 1948 with cross Channel car ferries already established at Dover and now (with the exception of the North Channel link) British Railways was re-evaluating its Irish Sea routes.

At Harwich, the *Avalon's* reign was to last

kwamen en in 1974 zou ze de haven in Essex verlaten voor verbouwing tot carferry op de Ierse Zee. Wanneer ze zou zijn ontworpen om auto's door haar achtersteven te laden, dan zou ze zonder twijfel de Noordzee aanzienlijk langer hebben opgeluisterd. De *Avalon* was met zekerheid de laatste van een reeks, maar velen zullen beweren, dat ze nooit gebouwd had mogen worden.

HET TIJDPERK VAN DE CARFERRIES

In verband met de steeds toenemende vraag naar meer ruimte voor auto's, besloten British Rail en SMZ in 1966 hun diensten te reorganiseren.

In mei kondigde de voorzitter van de direktie van British Railways plannen aan om een nieuwe laadbrug aan Parkeston Quay te bouwen. Hierover kon het verkeer de twee nieuwe carferries, die voor de route gebouwd zouden worden, op en af rijden. Soortgelijke plannen werden door SMZ aangekondigd voor hun aanlegplaats in Hoek van Holland.

De twee carferries – een Engelse en een Nederlandse – zouden de grootste schepen worden, die ooit voor de route gebouwd waren. Ze zouden beide capaciteit hebben voor 200 auto's, die aan- en van boord zouden rijden door boeg- en hekdeuren.

Het Engelse schip, later *St. George* genoemd, werd in november 1966 bij Swan Hunter aan de Tyne besteld en werd op 28 februari 1968 te water gelaten. Ze werd ontworpen voor 1200 passagiers op de vernieuwde dagdienst en 700 op de nachtelijke afvaart, met bedden voor 550 en ruststoelen voor nog eens 100 passagiers. Het schip was de eerste Engelse veerboot op de route die door dieselmotoren werd voortgestuwd en werd gebouwd met twee verstelbare schroeven, twee roeren en een boegschroef. Hierdoor was de maximale manoevreerbaarheid in nauwe vaarwaters mogelijk.

Met een bruto tonnage van 7356, maakte de *St. George* haar eerste reis in de nachtdienst van 17 juli 1968, de dag na de verwachte start van de nieuwe dienst, maar niet alles was in orde.

Ten eerste waren er trillingsproblemen,

just five years before vehicle ferries were introduced and in 1974 she was to leave the Essex port for conversion to a car ferry in the Irish Sea. Had she been built to load cars through her stern, there is little doubt that she would have graced the North Sea for rather longer than she did. The *Avalon* was certainly the last of the line, but many would argue that she should never have been built.

THE CAR FERRY ERA

With the ever growing public demand for increased car space, in 1966 British Rail and the SMZ announced that the decision had been made to reorganise their services.

During May, the Chairman of British Rail announced plans to build a linkspan at Parkeston Quay, thereby enabling traffic to drive on and drive off the two new car ferries which would be built for the route. Similar plans were announced by SMZ for their Hook of Holland terminal.

The two car ferries – one British and one Dutch – were to be the largest vessels ever built for the route. Both were to have capacity for 200 cars which would drive-on and drive-off through bow and stern doors.

The British ship, later named *St. George*, was ordered from Swan Hunter on Tyneside in November 1966 and was launched on 28th February 1968. She was designed to accommodate 1200 passengers on the revamped day service and 700 on the night sailing, with berths for 550 and reclining seats for another 100. The ship, the first British diesel-driven ferry on the route, was built with twin controllable-pitch propellers, twin stern rudders and a bow-thrust unit, thereby enabling maximum manoeuvrablity in minimum spaces.

At 7356 gross tons, the *St. George* made her maiden voyage on the night sailing of the 17th July 1968, the day after the anticipated start of the new service, but all was far from well.

Firstly, the ship experienced serious vibration problems at speed which were so

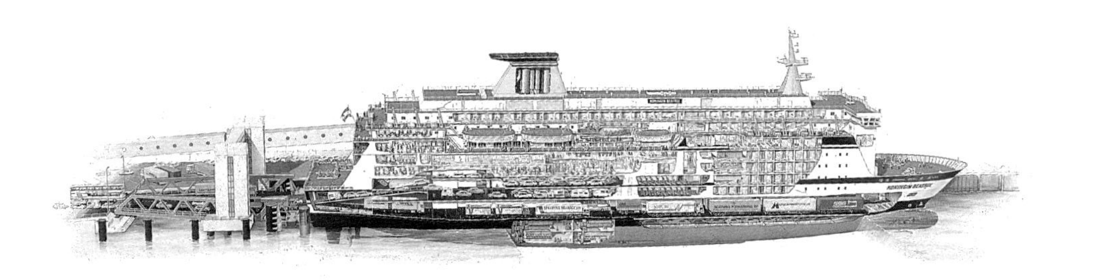

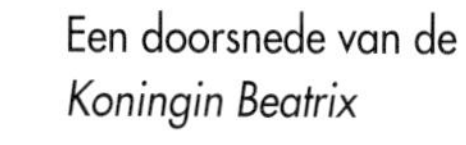
Een doorsnede van de *Koningin Beatrix*

Cross-sectional view of the *Koningin Beatrix.*

Foto Flite

Drie verschillende opnamen van de *Koningin Beatrix*. Boven en midden laten haar in haar originele uitmonstering zien. De onderste foto laat haar zien in de Crown Line kleuren, vlak voor de verkoop van de Nederlandse SMZ aan Stena Line.

Three different views of the *Koningin Beatrix*. The top and middle views show her in her original livery, the bottom picture shows the vessel in livery of Crown Line prior to the sale of the Dutch operations of SMZ to Stena Line.

Ferry Publications Library

Ferry Publications Library

John Carr

Het Tiffany's à la carte Restaurant.

Tiffany's Á La Carte Restaurant.

Miles Cowsill

De Zeeland Lobby

Zeeland Lobby

Miles Cowsill

Tivoli's Market Zelfbedienings Restaurant

Tivoli's Market Self Service Restaurant.

John Carr

Luxe hut

Luxury Cabin

wanneer het schip volle kracht voer en deze waren zo ernstig dat de bemanning in passagiershutten ondergebracht moest worden. Proeven werden uitgevoerd bij de universiteit van Newcastle en bij de bouwers, maar geen van beide was in staat het probleem op te lossen.

Ten tweede, was de nieuwe *Koningin Juliana,* na te zijn tewater gelaten op 2 februari, verre van gereed voor de dienst. Ongelukkigerwijs werd het schip op 13 juni door brand beschadigd, toen het werd afgebouwd aan de werf van Camell Laird in Birkenhead.

Daarom werd de *St. George* alleen in de nachtdienst ingezet, samen met de *Avalon,* terwijl de *Amsterdam,* indien nodig, werd gebruikt om afvaarten dubbel uit te voeren.

Van de oudere schepen was de *Arnhem* in het voorjaar van 1968 uit dienst genomen. Op 27 april kwam ze 'leeg' in Hoek van Holland aan met een 'paying-off' wimpel in haar achtermast, waarna ze die nacht voor haar laatste reis in westelijke richting overstak naar Harwich. Medio augustus werd ze voor sloop verkocht.

Bij de start van de nieuwe dienst beëindigde de *Prinses Beatrix* haar loopbaan op 6 september 1968 en vier dagen later werd ze opgelegd in Schiedam in afwachting van verkoop. Haar zusterschip *Koningin Emma* en de nieuwere *Koningin Wilhelmina* bleven de dagdienst onderhouden.

De langverwachte *Koningin Juliana* kwam tenslotte op 11 oktober voor de eerste keer in Hoek van Holland aan, waarna ze de Nieuwe Waterweg opvoer naar de Parkkade in Rotterdam voor een officiëel bezoek. Twee dagen later maakte ze een reisje op de Noordzee vanaf de Parkkade met SMZ personeel aan boord.

Op 14 oktober rond de middag kwam de *'Juliana'* weer vanuit Rotterdam in Hoek van Holland aan alwaar H.M. Koningin Juliana aan

bad that the crew had to be transferred to passenger cabins. Tests were carried out at Newcastle University and at her builders, but neither were able to solve the problem.

Secondly, the new *Koningin Juliana,* after having been launched on 2nd February, was far from ready for service, and unfortunately received fire damage on 13th June during her fitting-out period at Cammell Laird's Birkenhead yard.

The *St. George* therefore started operating a night service alone, alternating with the *Avalon* while the *Amsterdam* was used to duplicate sailings as required.

As for the older units, the *Arnhem* had ended service in the spring of 1968 arriving at the Hook of Holland 'light' on 27th April flying her paying-off pennant from her main mast before crossing that night for her final westbound trip to Harwich. In mid-August she was sold for scrap.

With the new service starting, the *Prinses Beatrix* ended her service on 6th September, and four days later went to lay-up at Schiedam pending sale. Meanwhile her sister *Koningin Emma* and the newer *Koningin Wilhelmina* continued to maintain the day service.

The long-awaited *Koningin Juliana* finally arrived at the Hook of Holland for the first time on 11th October, after which she sailed up the New Waterway to Rotterdam Parkkade for an official inspection. Two days later she cruised from the Parkkade into the North Sea with SMZ personnel aboard.

On 14th October, the 'Juliana' arrived back at the Hook of Holland from Rotterdam at about noon, where H.M. Queen Juliana boarded the ship for another special cruise into the North Sea following

Mike Louagie

De ruime en moderne brug van de *Koningin Beatrix.*

The modern and spacious bridge on the *Koningin Beatrix.*

boord kwam om ook een reisje op de Noordzee te maken, waarna het schip weer aan de Parkkade afmeerde.

Op 17 oktober kwam de *Amsterdam* om omstreeks 06.00 uur in de nachtdienst aan en de *Koningin Juliana* kwam in het rooster toen ze omstreeks middernacht op haar eerste reis vertrok. De *Koningin Emma* was eerder, rond 18.00 uur, op haar laatste reis in de dagdienst aangekomen en de volgende morgen vertrok ze naar Vlissingen om opgelegd te worden, waarna haar plaats in de dagdienst werd ingenomen door de *Amsterdam.*

Het nu ingestelde patroon was dat de beide nieuwe carferries in de nachtdienst voeren, terwijl de *Amsterdam* en de *Koningin Wilhelmina* overdag voeren.

De *Avalon* was toen vercharterd aan Gulf Oil voor de opening van de nieuwe olieterminal in Bantry Bay in Ierland, maar op 25 oktober werd de *St. George* naar Immingham gestuurd met verdere trillingsproblemen, veroorzaakt door haar verstelbare schroeven. Onder andere werden verstevigingen tussen de spanten in de achtersteven aangebracht om de problemen op te lossen.

De *Amsterdam* werd onmiddellijk in de nachtdienst terug geplaatst en haar plaats in de dagdienst werd voor één rondreis overgenomen door de carferry *Normannia* (2219 BRT) van British Rail (Southern Region), die toen

which the vessel berthed again at the Parkkade.

The 17th October saw the *Amsterdam* arrive at the Hook of Holland at around 06.00 on her night service, and the *Koningin Juliana* then slipped into the roster at around midnight on her maiden voyage. The passenger vessel *Koningin Emma* had previously arrived on her final day service at about 18.00 hours, and on the following morning she sailed to Flushing for lay-up, her place on the day service being taken by the *Amsterdam.*

The pattern now established was for the two new car ferries operating a night service while the *Amsterdam* and the *Koningin Wilhelmina* operated by day.

As for the *Avalon,* she was at that time on charter to Gulf Oil for the opening of the new Bantry Bay oil terminal in Ireland, but on 25th October the *St. George* was sent to Immingham with further vibration problems caused by her controllable pitch propellers. Amongst other work done to ease the problem, stiffeners were placed between frames around the ship's stern.

The *Amsterdam* was immediately switched back into the night service, and for one round sailing in her place came the British Rail (Southern Region) car ferry *Normannia* (2219 gross tons) which

In het laatste seizoen van de *St.Nicholas* op de route, passeert ze hier Harwich opweg naar Hoek van Holland in augustus 1990.

The *St. Nicholas* passing Harwich for the Hook of Holland in her last season on the link in August 1990.

Boven: de *Koningin Beatrix* in Stena Line kleuren.

Above: The *Koningin Beatrix* in Stena Line colours.

Miles Cowsill

Hier ziet u de *St. Nicholas* even buiten Harwich, tijdens haar laatste seizoen op de route naar Nederland.

Right: The *St. Nicholas* seen off Harwich during her last season on the Dutch service.

Mike Louagie

Boven: Het roll-on/roll-off vrachtschip *Stena Seatrader* komt aan in Hoek van Holland in juni 1991.

Above: The roll on-roll off freighter *Stena Seatrader* arriving at the Hook of Holland in June 1991.

Onder: De splinter nieuwe *Stena Traveller* op de Nieuwe Waterweg in april 1992.

Below: The newly built *Stena Traveller* on the new waterway in April 1992.

Henk van der Lugt

toevallig was opgelegd te Parkeston Quay. Als conventioneel passagiersschip had ze in september 1953 korte tijd op de route dienstgedaan na de aanvaring van de *Duke of York*, maar nu was ze verbouwd en had ze vier jaar dienst gedaan op de verbinding tussen Dover en Boulogne met capaciteit voor maar 550 passagiers en 110 auto's. Ze was zeker geen succes op de Harwich – Hoek route, daar ze nu een één- klasse schip met zeer beperkte capaciteit was en niet in de 'fuik' in Hoek van Holland paste.

Auto's werden met de kraan geladen (zelfs op haar sloependek), maar de *Hibernia* van de Holyhead-Dun Loaghaire route op de Ierse Zee was onderweg om de volgende dag te komen assisteren. Zij maakte slechts twee rondreizen, voordat de *Avalon* terug was.

Toen de geplaagde *St. George* op 2 november terugkwam, kon de nieuwe geïntegreerde dienst eindelijk beginnen en dit gebeurde stipt op vrijdag 8 november. De *Amsterdam* had de vorige dag haar laatste reis gemaakt.

Op de morgen, waarop de geïntegreerde dienst begon, voer de *Koningin Wilhelmina* naar Vlissingen om opgelegd te worden tijdens de winter. Van nu af aan zou het Engelse schip de dagdienst vanuit Harwich varen en 's nachts terugkeren, terwijl het Nederlandse schip hier tegen in voer.

De *Amsterdam* werd in april 1969 voor ongeveer £200.000 verkocht aan de Chandris Line uit Griekenland, die blijkbaar zo tevreden waren geweest met de oude *Duke of York*, dat ze terugkwamen voor nog meer. Als *Fiorita* kwam

happened to be on lay-by at Parkeston Quay at the time. As a passenger-only steamer, this vessel had briefly served to the route in September 1953 after the *Duke of York's* collision, but now in her converted role she had been maintaining the Dover – Boulogne link for four years with capacity for just 550 passengers and 110 cars. She was certainly not a success on the Harwich – Hook of Holland route, being now a one-class vessel with very limited capacity and failing to fit the linkspan at the Hook of Holland.

Cars were crane loaded aboard (even on her boat deck), but on her way to assist on the following day came the passenger vessel *Hibernia* from the Irish Sea's Holyhead – Dun Laoghaire route. She made just two round trips before the *Avalon* came back on station.

With the errant *St. George* back on 2nd November, the new integrated service was now finally ready to commence. This it duly did on Friday 8th November with the *Amsterdam* having completed her final voyage on the previous day.

The *Koningin Wilhelmina* sailed from the Hook of Holland to Flushing on the morning that the integrated service commenced for winter lay-up. From now on the British ship would sail on the day service from Harwich, returning overnight, while the Dutch ship operated opposite her.

The *Amsterdam* was sold in April 1969, for about £200,000, to the Chandris Line of Greece who had obviously been so pleased

De *Koningin Beatrix* gefotografeerd in Stena-uitmonstering.

The *Koningin Beatrix* pictured in the livery of Stena Line.

ze op 5 april 1983 in Kos, Turkije, aan om te worden gebruikt als drijvend hotel. De onderneming was zoiets als een financiële ramp en men liet het schip achter waar het lag waarna het ongeveer vijf jaar later zonk.

Het overblijvende stoomschip *Avalon* werd gebruikt om voor beide carferries waar te nemen tijdens hun onderhoudsbeurten in 1970, waarna een cruise in de Oostzee werd gemaakt. In hetzelfde jaar was een najaarscruise voorzien naar La Coruña, Gibraltar, Casablanca en Vigo voor prijzen tussen de £75 en £220.

In 1971 werd een nieuwe passagiersterminal geopend op Parkeston Quay en dit betekende het eind voor het Parkeston Quay West station. Sedert het begin van de geïntegreerde dienst in november 1968, hadden alleen de conventionele schepen op hun extra en/of aflos-afvaarten gebruik gemaakt van de West Quay.

MEER CARFERRIES

De nieuwe carferrydienst bleek zeer succesvol te zijn en in 1970 had het vervoer een voldoende niveau bereikt om de bouw van een derde schip voor de route te rechtvaardigen. Het contract voor het nieuwe en grotere schip werd aan Camell Laird in Birkenhead gegeven.

Na een aantal vertragingen werd de nieuwe *St. Edmund* (8987 BRT) op 14 november 1973

with the old *Duke of York* that they had come back for more. On 5th April 1983, as the *Fiorita*, she arrived in Kos, Turkey for use as a floating hotel. The venture was something of a financial disaster, and the ship was abandoned where she lay until sinking some five years later.

The remaining steamer *Avalon* was required to cover both car ferries during their overhaul periods in 1970 after which a Baltic Cruise was offered. In the same year, an autumn cruise listed Corunna, Gibraltar, Casablanca and Vigo at prices between £75 and £220.

A new passenger terminal opened at Parkeston Quay during 1971 bringing an end to Parkeston Quay West station. Since the start of the new integrated service in November 1968 only the relief sailings by the conventional ships had operated from the west quay.

CAR FERRY EXPANSION

The new car ferry service proved to be very successful and by 1970 traffic levels had reached sufficient levels to warrant the building of a third vessel for the route. The contract for the new and larger ship was given to Cammell Laird at Birkenhead.

De voormalige Oostzee ferry *Stena Britannica* tijdens de eerste aankomst in Hoek van Holland. Na de in dienst stelling werd de *St.Nicholas* op de nieuwe route Southampton – Cherbourg ingezet.

The former Baltic ferry *Stena Britannica* on her first arrival at the Hook of Holland. After entering commercial service, the *St. Nicholas* was transferred to the new Southampton-Cherbourg route.

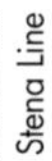

Stena Line

Boven: De *Stena Britannica* komt in Hoek van Holland aan op haar eerste officiële reis.

Above: The *Stena Britannica* arriving at the Hook of Holland on her inaugural sailing.

Rechts: De *Stena Britannica* en de *Stena Seatrader* passeren elkaar bij Felixstowe, bij gelegenheid van de eerste aankomst van de eerst genoemde in Engeland.

Right: The *Stena Britannica* and *Stena Seatrader* pass each other off Felixstowe, on the occasion of the former's first arrival in Britain.

John Carr

Stena Line

De *Stena Britannica* met op de achtergrond Landguard Point, op haar dagafvaart naar de Hoek.

The *Stena Britannica* leaves Landguard Point astern as she heads out of the Haven on her morning sailing to the Hook.

De *Stena Britannica* gepavoiseerd vlak voor haar eerste aankomst in Hoek van Holland.

The *Stena Britannica* dressed overall prior to arrival at the Hook of Holland for the first time.

Stena Line

te water gelaten. Nog meer vertragingen tijdens de afbouw betekenden, dat het schip pas op de dag voor Kerstmis 1974 te Parkeston Quay aankwam en op 19 januari 1975 in dienst gesteld werd.

De *St. Edmund* was een reusachtige verbetering t.o.v. de *St. George* en had accomodatie voor ongeveer 1400 passagiers overdag, 1000 's nachts en 300 auto's. Met een dienstsnelheid van 21 knopen, kon de *St. Edmund*, indien nodig, drie oversteken per etmaal maken. Bij haar indienst stelling nam het nieuwe schip de hoofd-afvaarten over, terwijl de *St. George* werd gebruikt voor extra diensten in drukke perioden.

Van juni tot september 1975 begon de *St. George* ook een aanvullende afvaart, waarbij ze om 14.00 uur uit Hoek van Holland vertrok. Na aankomst in Harwich werd ze dan weer snel gereed gemaakt om de nacht-afvaart van de *Koningin Juliana* naar Holland aan te vullen. Het conventionele passagiersschip *Koningin Wilhelmina* begon ook een nieuwe dagdienst, waarbij ze een beperkt aantal met de kraan geladen auto's vervoerde op de afvaart van 09.30 uur naar Hoek van Holland.

Met de komst van de *St. Edmund* waren de diensten van de elf jaar oude *Avalon* niet langer nodig en op 29 december 1974 voer ze naar de Tyne om te worden verbouwd tot carferry (over de achtersteven ladend) voor de Fishguard – Rosslare route. De passagiershutten werden alle verwijderd om plaats te maken voor het nieuwe autodek. Ze bleef in dienst tot 1981, toen ze naar Gadani Beach, Pakistan, voer voor de sloop.

In 1975 waren aan beide kanten van de Noordzee feestelijkheden om het 100-jarig bestaan van SMZ te vieren. Hoewel de maatschappij voor het grootste deel van haar bestaan, niet op Hoek van Holland of Harwich

After a number of delays the new *St. Edmund* (8987 gross tons) was launched on 13th November 1973. Further delays during her fitting-out meant that the ship did not arrive at Parkeston Quay until Christmas Eve 1974 and she entered service on 19th January 1975.

The *St. Edmund* was a vast improvement on the *St. George* and boasted accommodation for as many as 1400 day passengers, 1000 night passengers and 300 cars. With a service speed of 21 knots, the *St. Edmund* could, if required, make three sailings in a 24 hour period. On her entry into service, the new ship took over the main sailings while the *St. George* was used to back-up at peak periods.

In 1975 the *St. George* also commenced an additional sailing from June through to September leaving the Hook of Holland at 14.00 hours. On her arrival at Harwich she would then make a quick turn-round to support the *Koningin Juliana's* night sailing to Holland. The passenger vessel *Koningin Wilhelmina* also started a new day service on which she carried a limited number of crane loaded cars on the 09.30 sailing to the Hook of Holland.

With the arrival of the *St. Edmund*, the services of the eleven year old *Avalon* were no longer required, and on 29th December 1974 she sailed to the Tyne for conversion to a stern loading car ferry for the Fishguard – Rosslare route. The passenger cabins were all stripped out to make way for her new vehicle deck. She remained in service until 1981 before sailing to Gadani Beach, Pakistan, for breaking.

During 1975, there were celebrations on both sides of the North Sea to mark the

had gevaren ging haar rol in het voorzien van een veilige en betrouwbare zeeverbinding tussen Nederland en Engeland niet onopgemerkt voorbij. De historische verbindingen van SMZ tussen de twee landen hielpen om hun bevolking dichter bij elkaar te brengen. Het jaar 1975 is zeker een mijlpaal in de relaties tussen Engeland en Nederland.

Door verdere groei bestelde SMZ twee jaar later een vierde carferry voor de route. De order werd geplaatst bij de Nederlandse Verolme Scheepswerf in Heusden en bij voltooiïng zou het nieuwe schip het laatste conventionele passagiersschip, *Koningin Wilhelmina*, vervangen. Ze werd gebouwd met een capaciteit van 1500 passagiers in twee klassen. In de nachtdienst zou het aantal passagiers worden beperkt tot 1024 waarvan 576 in hutten en 448 op ruststoelen. Alle eerste klas hutten in het nieuwe schip zouden worden uitgerust met douche en toilet, terwijl het autodek capaciteit zou hebben voor 320 auto's of 44 trailers en 12 auto's of een combinatie van beide.

De *Prinses Beatrix* van SMZ werd op 14 januari 1978 tewater gelaten door H.K.H. Prinses Beatrix. Het is opmerkelijk dat de vooroorlogse *Koningin Emma* precies 39 jaar eerder op dezelfde dag tewater werd gelaten. Het nieuwe schip was ontworpen door Knud. E. Hansen uit Kopenhagen en was gebouwd om de behoeften van de route te combineren met de goede tradities van de Nederlandse maatschappij. Het nieuwe schip werd voort gestuwd door vier Stork-Werkspoor diesels die met een totaal vermogen van 22.000 pk een dienstsnelheid van 21 knopen ontwikkelden.

De *Prinses Beatrix* (9238 BRT) onderging haar proeftocht in Noorwegen onder commando van de SMZ-commodore, kapitein Klaas Kikkert, voordat ze op 24 juni 1978 in

centenary of the SMZ. Although for most of that period the Company had not served either the Hook of Holland or Harwich, its role in providing a safe and reliable seaway between Holland and England did not pass unnoticed, and the SMZ's historic links between the two countries helped to bring their peoples closer together. The year 1975 certainly marked a milestone in Anglo-Dutch relations.

Two years later, further expansion saw SMZ order a fourth car ferry for the route. The order was placed at the Dutch shipyard of Verolme Scheepswerf Heusden and on completion, the new ship would replace the final traditional passenger vessel, *Koningin Wilhelmina*. She was built with passenger capacity for as many as 1500 in two classes. On the night sailings the number of passengers would be limited to 1024, of which 576 could be accommodated in cabins and 448 in reclining seats. All first-class cabins in the new ship were to be equipped with shower and toilet facilities, while the car deck would have capacity for 320 cars or 44 trailers and 12 cars or a combination of both.

SMZ's *Prinses Beatrix* was launched on 14th January 1978 by H.R.H. Princess Beatrix. It is of interest that the pre-war ship *Koningin Emma* was launched on the same day exactly 39 years earlier. The new vessel was designed by Knud E. Hansen of Copenhagen and was built to combine the requirements of the route without losing the splendid traditions of the Dutch company. She was powered by four Stork-Werkspoor diesel engines with a total capacity of 22,000 h.p. producing a service speed of 21 knots.

The *Prinses Beatrix* (9238 gross tons), undertook her trials in Norway under the

John Carr

Een foto van Parkeston Quay met de *Stena Britannica* afgemeerd op de nieuwe ligplaats, die in 1992 werd geopend.

A view at Parkeston Quay, with *Stena Britannica* berthed at the new linkspan which opened in 1992.

Foto Flite

De *Stena Britannica* in de ochtendzon op reis naar Nederland.

Above: The *Stena Britannica* captured in the morning sun on passage to Holland.

De *Koningin Beatrix* passeert, in het avondlicht, de haven van Felixstowe.

Below: The *Koningin Beatrix* captured in the evening sun off the port of Felixstowe.

Miles Cowsill

dienst kwam. De nieuwe Nederlandse ferry was toen de grootste ferry op de route en zij nam het rooster van de *Koningin Juliana* over, die het op haar beurt overnam van de oude *Koningin Wilhelmina.* Het laatste conventionele passagiersschip werd op 28 juni 1978 uit de vaart genomen en werd, na te zijn opgelegd in Vlissingen, aan het einde van dat jaar overgedaan aan de Griekse Ventouris Group. Hoewel ze oorspronkelijk *Captain Constantinos* werd gedoopt, werd ze in 1981 omgedoopt in *Panagia Tinoy.* Ze is heden nog steeds in dienst.

De nieuwe *Prinses Beatrix* nam in 1980 deel aan de kroningsfeesten, die volgden op de inhuldiging van H.M. Koningin Beatrix. In Amsterdam kwamen ongeveer 600 gasten aan boord om een vuurwerk ter viering van de Koninklijke gebeurtenis te bekijken.

DE ST. EDMUND IN OORLOG

In het voorjaar van 1982 werd de Harwich – Hoek van Holland route zwaar getroffen, toen de *St. Edmund* door het Ministry of Defence werd gevorderd voor de Falkland oorlog. De ferry *Prinz Oberon* van DFDS Seaways was gelukkig overtollig, tengevolge van de sluiting van de Harwich – Bremerhaven dienst en werd toen door SMZ gecharterd. Op 11 februari 1983 kwam ze voor het eerst in Hoek van Holland aan om de dokperiode van de *Prinses Beatrix* te overbruggen. Sealink UK Ltd. nam het charter over van 12 maart tot 9 juni. Bijna niemand wist toen, dat de zeven jaar oude *St. Edmund* nooit meer op de route, waarvoor ze gebouwd was, zou varen.

De *St. Edmund* werd in Portsmouth voor de oorlog uitgerust. De achtermast werd toen verwijderd en een helicopterdek werd op de plaats ervan aangebracht, de grote salons werden slaapzalen en een hospitaal, terwijl de belastingvrije winkels voorraadkasten en een bibliotheek werden.

Na een intensieve, acht dagen durende verbouwing, vertrok de ferry op 18 mei 1982 naar het oorlogsgebied, maar de op dag, voordat ze op de Falklands aankwam, hadden de Argentijnse strijdkrachten zich overgegeven. Daarom werd het Sealink schip betrokken bij het vervoer van zo'n 1500 verslagen troepen terug naar Argentinië, waarbij de slogan "Sealink will set you free", die toen in Engeland gebruikt werd, een heel nieuwe betekenis kreeg. Hierna kreeg ze een dubbele rol, als ferry tussen de Falklands en Ascension en als hotelschip in de haven van Port Stanley, waar ze de bijnaam 'Stanley Hilton' kreeg!

Bij de terugkeer van de *St. Edmund* in Engeland, werd ze door Sealink verkocht aan het Ministry of Defence voor nog meer werk in

command of her senior Master, Captain Klaas Kikkert, prior to entering service on 24th June 1978. The new Dutch ferry was the route's largest at that time and took over the *Koningin Juliana's* timetable while she, in turn, took that of the old *Koningin Wilhelmina.* The last passenger-only ship was withdrawn on 28th June 1978 and, after lay-up at Flushing, passed to the Greek Ventouris Group at the end of the same year. Originally named *Captain Constantinos,* she was named *Panagia Tinoy* in 1981 and continues in service today.

The new *Prinses Beatrix* took part in the Queen's Coronation celebrations in 1980, following the inauguration of Queen Beatrix of the Netherlands. Some 600 guests boarded the ship at Amsterdam to watch a firework display to celebrate the Royal event.

THE ST. EDMUND GOES TO WAR

In spring 1982, the Harwich – Hook of Holland route was severely stretched when the *St. Edmund* was requisitioned by the Ministry of Defence for the Falklands War. The DFDS Seaways ferry *Prinz Oberon* was fortunately spare following the closure of the Harwich Bremerhaven link, and she was now chartered by SMZ, arriving for the first time at the Hook of Holland on 11th February 1983 to cover the overhaul period of the *Prinses Beatrix.* Sealink UK Ltd. then continued the charter from 12th March until 9th June. Few people could guess that the seven year old *St. Edmund* would never sail again on the route for which she was built.

The *St. Edmund* was refitted at Portsmouth where she was made ready for war. During this time her mainmast was removed and a helicopter deck was fitted in its place, the main lounges became dormatories and a hospital while the duty-free shops became stores and a library.

After an intensive eight day conversion, the ferry sailed for the war zone on 18th May 1982, but the day before she arrived in the Falklands, the occupying Argentine forces had surrendered. The Sealink vessel was therefore involved in transporting some 1500 defeated troops back to Argentina, bringing about a whole new meaning to the slogan then in use back home, "Sealink will set you free." Following this work, she maintained a dual role as a ferry to and from the Falklands to Ascension Island and as an accommodation ship in Port Stanley Harbour where she earned the nickname of the Stanley Hilton!

De *Stena Normandy* verlaat voor het laatst Hoek van Holland op 19 juni 1991.

The *Stena Normandy* leaving the Hook of Holland for the last time on 19th June 1982.

Henk van der Lugt

de Zuid Atlantische Oceaan en hernoemd in *Keren*. In 1985 werd het voormalige Sealink schip aan de Cenargo groep verkocht en omgedoopt in *Scirocco* voor gebruik op een aantal verschillende diensten in de Middellandse Zee. Toen begon ze, in het begin van 1989 en omgedoopt tot *Rozel* aan een charter voor British Channel Islands Ferries voor de verbinding tussen Poole en Guernsey/Jersey. Dit charter liep af in januari 1992, waarna ze opnieuw werk vond in de Middellandse Zee.

DE 'BIG ONE'

Na het uitbreken van de Falkland-oorlog kondigde Sealink aan, dat ze de *Prinsessan Birgitta* hadden gecharterd van de Stena Line uit Gothenburg, om zowel de *St. Edmund* als de *St. George* te vervangen. Ze werd gebouwd als 'bouwnummer 909' voor de Sessan Line voor hun verbinding tussen Zweden en Denemarken. Gedurende de bouw werd Sessan Line overgenomen door haar concurrent Stena Line en werd het werk aan het schip stilgelegd. Het was de bedoeling om het schip *Drottning Silvia* te noemen (naar Koningin Silvia van Zweden) maar dit kon geen officiële goedkeuring krijgen en daarom werd ze op 7 juni *Prinsessan Birgitta* gedoopt.

Het schip werd gedurende de zomer, samen haar zusterschip *Kronprinsessan Victoria*, dat in 1981 in de vaart was gebracht, op de Frederikshavn dienst ingezet. Aan het eind van het eerste seizoen werd de *'Birgitta'* naar haar bouwers teruggestuurd, waar ter voorbereiding van haar Engelse charter de passagiers accomodatie werd vergroot van 616 naar 1100 bedden.

Naar aanleiding van een wedstrijd bij het

On the *St. Edmund's* return to England, she was sold by Sealink to the Ministry of Defence and was renamed *Keren* for further work in the South Atlantic. In 1985 the former Sealink vessel was sold to the Cenargo Group and was renamed *Scirocco* for use on a variety of services in the Mediterranean. Then in early 1989, renamed *Rozel*, she started a charter to British Channel Island Ferries on the link between Poole and Guernsey/ Jersey. This finished in January 1992, after which she was again found work in the Mediterranean.

'THE BIG ONE'

Following the outbreak of the Falklands War, Sealink announced that they had chartered the *Prinsessan Birgitta* from Stena Line of Gothenburg in Sweden in order to replace both the *St. Edmund* and the *St. George*. She was built as 'yard number 909' for Sessan Line for their link between Sweden and Denmark. During construction, Sessan Line was purchased by their rivals Stena Line and all work had ceased. It had been planned to name the ship *Drottning Silvia* (after Queen Silvia of Sweden), but this did not meet with offical approval and so on 7th June she was named *Prinsessan Birgitta.*

The ship spent the summer on the Fredrikshavn service with her sister the *Kronprinsessan Victoria* which had entered service in 1981. At the end of her first season, the 'Birgitta' was sent back to her builders where, in readiness for her British charter, her passenger accommodation was increased from 616 berths to 1100.

BBC kinderprogramma 'Get Set' werd het schip *St. Nicholas* gedoopt. De naam die voor het schip was gekozen was bijzonder geschikt voor een schip op deze route daar St. Nicholas Engels is voor Sinterklaas en de kerk in Harwich Town ook naar deze heilige genoemd is. De *St. Nicholas* maakte haar eerste reis bij Sealink op 10 juni 1983 en maakte het mogelijk om de gecharterde *Prinz Oberon* terug te leveren aan haar eigenaar. Met het oog op de op handen zijnde privatisering van Sealink UK. Ltd. behield het Zweedse schip haar rode schoorsteen en witte romp, maar werd de naam 'Sealink' op de romp geschilderd.

De *St. Nicholas* verschilde van de vorige 'Saints' op de route, daar de grote passagiersruimten een 'open' ontwerp hadden en ze gebouwd was als een één klasse schip. Om het twee klassen systeem te behouden, was er achterop echter een eerste klas salon en restaurant gevestigd. Wat het meest de aandacht trok op het schip was de terrasvormige bar met zitplaatsen voor 500 passagiers. De nieuwe 'Saint' had twee restaurants voor zowel zelfbedienings- als à la carte maaltijden.

Op 15 juni werd de *St. Nicholas* officieel gedoopt door mrs. Elizabeth Henderson, de echtgenote van mr. Bill Henderson, de adjunct directeur van Sealink UK. Ltd. Om de dienstregeling niet te verstoren, werd de *Koningin Juliana* voor één rondreis ingezet.

Kort voor de indienststelling van het nieuwe schip, werd de gecharterde *Prinz Oberon* nog even ingezet in het rooster van de *St. George*. De *St. George* was op 5 juni uit dienst genomen, waarna ze werd opgelegd in Parkeston Quay. Op 20 september vertrok ze naar Immingham voor reparatie en daarna naar Falmouth, waar ze weer werd opgelegd, voordat ze in 1984 verkocht werd aan de Ventouris Line uit Griekenland en omgedoopt in *Patra Express*. Ze kwam op 1 oktober 1984 in Piraeus aan en kwam in maart daarop in dienst tussen Patra en Bari. Ze werd later van nieuwe motoren voorzien en uiteindelijk in maart 1990 aan Sea Escapes verkocht, waarna ze weer naar Immingham voer als *Scandinavian Sky II* voor een verbouwing die ongeveer vijf maanden duurde. Na de verbouwing werd ze omgedoopt in *Scandinavian Dawn*. De voormalige Harwichboot wordt heden ingezet op eendaagse cruises vanuit Port Everglades in Florida.

De *St. Nicholas*, waarop Sealink aanspraak maakte als de 'big one', was in staat om het werk van twee schepen te doen en SMZ begon een herwaardering van hun zijde van de dienst. De groei was zo opzienbarend, dat binnen vijf jaar de *Prinses Beatrix* te klein werd voor het aangeboden verkeer. Net als de Engelsen hadden gedaan, wilden de Nederlanders hun exploitatiekosten terugdringen en één groot

The ship was named *St. Nicholas* following a competition run by the BBC childrens' programme 'Get Set'. The name chosen for the ship was particularly apt as St. Nicholas is the 'Santa Claus' of the Netherlands and the parish church in Harwich is also named after the saint. The *St. Nicholas* made her maiden voyage with Sealink on 10th June 1983 and allowed the chartered *Prinz Oberon* to return to her owners. In view of the pending privatisation of Sealink UK Ltd., the Swedish ship retained her red funnel and white hull colours but the name 'Sealink' was added to her hull.

The *St. Nicholas* differed from the previous 'Saints' on the route as her main passenger areas were open plan and she was built as a one-class ship. However, in an effort to retain the two class system, a First Class lounge and restaurant were established at her after end. The central and most impressive feature of the ship was a terraced bar with seating for 500 passengers. The new 'Saint' boasted two restaurants offering both self-service style and à la carte meals.

On 15th June, the *St. Nicholas* was officially named by Mrs. Elizabeth Henderson, the wife of Mr. Bill Henderson – the Deputy Managing Director of Sealink UK Ltd. In order to maintain the service, the *Koningin Juliana* deputised for one round sailing.

Shortly before the introduction of the new ship, the chartered *Prinz Oberon* was switched for a short period to cover the *St. George's* roster. The *St. George* had been withdrawn from service following her final sailing from the Hook of Holland on 5th June after which she was laid up at Parkeston Quay. On 20th September she sailed to Immingham for repairs and then to Falmouth where she was again laid up before being sold to Ventouris Line of Greece in 1984 and renamed *Patra Express*. She arrived at Piraeus on 1st October 1984 and entered service between Patras and Bari the following March. She was later re-engined and was eventually sold to Sea Escapes in March 1990, sailing to Immingham again as the *Scandinavian Sky II* for a rebuilding programme which took some five months. She finally emerged as the *Scandinavian Dawn*. The old Harwich favourite is presently engaged on one day cruises from Port Everglades in Florida.

With the *St. Nicholas* claimed by Sealink to be, 'The Big One' and able to do the work of two ships, SMZ began a reappraisal of their side of the operation. Growth had been so spectacular that within five years the *Prinses Beatrix* was rapidly becoming too

Tivoli's Market Restaurant

Bar

Café de Paris

Receptie
Reception Lobby

Luxe hut
Royal Stateroom

All pictures Miles Cowsill

schip exploiteren in plaats van twee middelgrote schepen. In 1985 bestelde SMZ voor *f* 175 miljoen een superferry om de *Prinses Beatrix* en de *Koningin Juliana* te vervangen.

Als een tijdelijke maatregel werd de *'Juliana'* vervangen door de *Peter Wessel* (6800 BRT) van de Larvik-Frederikshavn Line. Het gecharterde schip werd omgedoopt in *Zeeland*, had ruimte voor 1500 passagiers en kwam op 1 april 1984 in dienst, om samen met de *Koningin Juliana* de dienst uit te voeren in plaats van de *Prinses Beatrix*, die voor een dokbeurt weg was.

In maart 1984, ging de *St. Nicholas* voor haar eerste onderhoudsbeurt naar de Franse haven Duinkerken en de *Koningin Juliana* nam voor haar de dienst waar. Aan het eind van de maand voer de *St. Nicholas* van Duinkerken naar Dover om de nieuwe kleuren van Sealink UK. Ltd. te presenteren voorafgaand aan de privatisering in juli daarop. Na te hebben afgemeerd aan de Eastern Arm, voer ze naar Parkeston Qauy met VIP's en mensen van de pers aan boord. In juli werd Sealink UK. Ltd. voor £66 miljoen aangekocht door het op de Bermuda's gevestigde Sea Containers en van toen af werden de schepen geëxploiteerd onder de naam 'Sealink British Ferries'.

De *Koningin Juliana* vertrok op 7 april 1984 voor de laatste keer uit Harwich en voer later door naar de Waalhaven in Rotterdam om te worden opgelegd. In februari van het volgend jaar werd ze verkocht, waarna ze naar Amsterdam voer om te worden verbouwd tot tentoonstellingsschip voor de bevordering van de Nederlandse export in het buitenland. Het was de bedoeling dat ze omgedoopt zou worden in *Tromp*, maar voordat de onderneming van start kon gaan, ondervond men financiële problemen en het schip werd verkocht aan de Italiaanse rederij Navarma, die haar omdoopte in *Moby Prince* voor de dienst naar Sardinië.

Haar eind was zowel plotseling als tragisch. Toen ze in de nacht van 10 april 1991 in dikke mist vanuit de haven van Livorno onderweg was naar het eiland, kreeg het voormalige SMZ schip een aanvaring met een voor anker liggende tanker. De resulterende vuurbal verslond het schip binnen enkele seconden en op één na kwamen alle 140 opvarenden om.

Ondertussen werd op 1 oktober 1985, voorafgaand aan de oplevering van de nieuwe Nederlandse ferry, de *Prinses Beatrix* verkocht aan Britanny Ferries, die haar vervolgens tot 1 mei 1986 terug vercharterde aan SMZ. Ze werd geregistreerd in de Franse haven Caen en onder de Franse vlag gebracht. Nu vaart ze als *Duc de Normandie* over het Engelse Kanaal op de succesvolle Portsmouth–Caen dienst van haar eigenaars.

In maart en april 1986 werd een ander schip van Britanny Ferries, de *Armorique* (5731 BRT) voor korte tijd op de Hoek van Holland –

small for the traffic on offer. As the British had done, the Dutch wished to reduce their overheads and operate one huge ship rather than two medium-sized vessels. In 1985, SMZ ordered a £40 million super-ferry to replace both the *Prinses Beatrix* and the *Koningin Juliana.*

As a temporary measure the 'Juliana' was replaced by the Larvik – Fredrikshavn Line's *Peter Wessel* (6,800 gross tons). The chartered ship was renamed *Zeeland*, had space for 1500 passengers, and entered service on 2nd April 1984, operating a joint-service with the *Koningin Juliana* in place of the *Prinses Beatrix* which was away at refit.

During March 1984, the *St. Nicholas* went off for her first overhaul in the French port of Dunkirk and the *Koningin Juliana* was brought in to deputise. At the end of the month, the *St. Nicholas* sailed from Dunkirk to Dover to launch the new image and livery of Sealink UK Ltd. prior to privatisation that July. After berthing on the Eastern Arm, she sailed to Parkeston Quay with VIPs and press on board. During July Sealink UK Ltd. was purchased for £66 million by the Bermuda-based Sea Containers and their ships now traded as 'Sealink British Ferries'.

After her final departure from Harwich on 7th April 1984, the *Koningin Juliana* later proceeded to the Waalhaven in Rotterdam for lay-up. The following February she sailed to Amsterdam after having been sold for conversion to an exhibition ship in order to promote Dutch exports overseas. She was to have been renamed *Tromp,* but before the venture could start, it encountered financial problems and the ship was sold to the Italian company Navarma who renamed her *Moby Prince* for service to Sardinia.

Her end was was as sudden as it was tragic. Sailing to the island from the port of Livorno in thick fog on the night of 10th April 1991, the former SMZ vessel collided with an anchored oil tanker. The resulting fireball engulfed the ship within seconds and all but one of the 140 on board had perished.

Meanwhile on 1st October 1985, prior to the delivery of the new Dutch ferry, the *Prinses Beatrix* was sold to Brittany Ferries who then chartered her back to SMZ until the end of April 1986. She was re-registered in the French port of Caen and flew the French flag before sailing into the English Channel where she now serves as the *Duc de Normandie* on her owners' highly successful Portsmouth – Caen link.

During March – April 1986, another Brittany Ferries ship, the *Armorique* (5731 gross tons), was briefly used on the Hook of Holland – Harwich service following the final

Harwich dienst gebruikt. Dit gebeurde na de laatste reis van de *Zeeland* uit Harwich op 25 maart 1986. Na een dokbeurt in Pernis vertrok de voormalige Noorse ferry als *Stena Nordica*, om zich bij de Stena Line-vloot te voegen.

AAN BOORD VAN DE KONINGIN BEATRIX

H.M. Koningin Beatrix liet de prachtige nieuwe *Koningin Beatrix* op 9 november 1985 te water. De twaalf dekken tellende ferry werd op tijd voltooid door Van der Giessen-de Noord en SMZ besliste, dat het schip een geheel witte romp moest hebben die paste bij die van haar Engelse partner. In plaats van 'Sealink' had de *Koningin Beatrix* de woorden 'Hook-Harwich' aan stuurboord- en 'Hoek-Harwich' aan bakboordzijde op haar romp. Hoewel de stijlvolle okergele schoorsteen met zwarte top en rood, wit, blauwe banden werd aangehouden, werd er na de proeftocht besloten (met Koninklijke goedkeuring) om grote kronen aan te brengen op het okergele gedeelte.

Voordat de *Koningin Beatrix* in dienst kwam, werd er een nieuwe 42 meter lange laadbrug (er werd beweerd de grootste in Europa) gebouwd op de plaats van de oude Fruitsteiger aan het oostelijke uiteinde van de Harwichsteiger. De terminal werd ook verbeterd en voor voetpassagiers werd een overdekte loopbrug gemaakt tussen het schip en de terminal.

Nadat enkele kinderziekten werden ondervonden bij het afmeren, kwam de *Koningin Beatrix* tenslotte op 22 april 1986 in dienst. Het nieuwe twee klasse schip bracht vele voortreffelijke specialiteiten op de route, waaronder een eerste klas restaurant met 350 zitplaatsen en een salon en bar op dek 8. De tweede klas ruimten op de dekken 6 en 7 hadden een bar, een salon met dansvloer en een zelfbedieningsrestaurant. Er was accomodatie voor een maximum van 2100 passagiers, waarvan 1296 in bedden. Op de autodekken was plaats voor niet minder dan 485 auto's. In de machinekamer ontwikkelden vier M.A.N.–B&W dieselmotoren een vermogen van 19.360 kW, goed voor een dienstsnelheid van 21 knopen.

Met deze twee ferries op de dienst, vertrok de *St. Nicholas* in de dagdienst vanuit Harwich en in de nachtdienst vanuit de Hoek, terwijl de *Koningin Beatrix* in de tegenovergestelde richting voer.

Tijdens de dokbeurten in januari 1987, werd de *Dana Anglia* gecharterd van DFDS Seaways om de diensten van de twee normale schepen waar te nemen, in 1988 echter, waren er slechts 24 uurs dokbeurten en hierbij was een charter niet nodig.

voyage of the *Zeeland* from Harwich on 25th March 1986. After drydocking at Pernis, the former Norwegian ferry then sailed to join Stena Line as their *Stena Nordica.*

ENTER THE KONINGIN BEATRIX

H.M. Queen Beatrix of the Netherlands launched the magnificent new *Koningin Beatrix* on 9th November 1985. The twelve-decked ferry was completed on schedule by Van der Giessen-de-Noord and SMZ decided that she should sport an all white hull to match that carried by her British running partner. Instead of 'Sealink' along her hull, the *Koningin Beatrix* had the words 'Hook-Harwich' on her starboard side, while 'Hoek-Harwich' appeared along the port side. Although the smart buff funnel with its black top, separated by red, white and blue stripes, was retained, after trials it was decided (with Royal approval) to fit large crowns on the buff portion.

Prior to the *Koningin Beatrix* entering service, a new 42 metre ramp (claimed to be Europe's largest) was constructed at the old 'Fruitwharf' berth at the eastern end of the Harwich Quay. Terminal facilities were also improved, and foot passengers were provided with covered walkways linking ship with terminal.

After initial problems encountered during berthing, the *Koningin Beatrix* finally entered service on 22nd April 1986. The new two-class vessel brought many outstanding features to the route, including a First Class 350 seater restaurant, lounge and bar on Deck 8. The Second Class areas on Decks 6 and 7 offered a bar lounge with dance floor and self-service restaurant. Up to 2100 passengers could be accommodated, 1296 in berths. On the vehicle decks no fewer than 485 cars could be accommodated. In the engine room, four M.A.N.–B&W diesel engines develop an output of 19,360 Kw, giving her a service speed of 21 knots.

With the two jumbo ferries in service, the *St. Nicholas* would offer a morning sailing from Harwich with an evening sailing from the Hook of Holland, while the *Koningin Beatrix* worked in the opposite direction.

During the refit period in January 1987, the DFDS Seaways ferry *Dana Anglia* was chartered to cover the services of both regular vessels, although the 24 hour refits in 1988 meant that chartering was not necessary.

SMZ was voor 70% eigendom van de Staat der Nederlanden, terwijl 25% van de aandelen verhandeld werden op de beurs en de overige 5% eigendom waren van Internatio Müller in Rotterdam.

In 1988 maakte de Minister van Verkeer & Waterstaat bekend, dat de Regering haar aandeel in de ferry-maatschappij zou gaan verkopen en aan het begin van het volgende jaar begonnen vier potentiële kopers (Sealink British Ferries, Nedlloyd, Johnson Line en Stena Line) aan de race om het in handen te krijgen. In het voorjaar van dat jaar bood de Zweedse Stena Line *f* 6750 voor elk aandeel van nominaal *f* 250 en dit werd geaccepteerd. Hieraan voorafgaand had SMZ zichzelf aangeprijsd als 'Crown Line' en dit had de woorden 'Hoek – Harwich' en 'Hook – Harwich" op de zijkant van de *Koningin Beatrix* in 1989 vervangen.

In januari 1989 verschenen kort drie nieuwe bezoekers op de route. Toen de *St. Nicholas* voor de jaarlijkse dokbeurt naar Wilton in Schiedam vertrok, werd op 8 januari haar vaarschema overgenomen door de voormalige Sealink Channel Island ferry *Earl Granville*, terwijl het ro-ro vrachtverkeer door de gecharterde *Mercandian Universe* werd vervoerd. Op 19 januari keerde de *St. Nicholas* terug in de dienst en vier dagen later vertrok de *Koningin Beatrix* naar Schiedam voor haar eigen dokbeurt. In haar plaats kwam werd voor elf dagen de *Duchesse Anne* gecharterd. Ze was kort daarvoor door

SMZ was 70% state owned, while 25% of its shares were traded on the Stock Market and the remaining 5% were held by Internatio Muller in Rotterdam.

In 1988, the Minister of Transport and Public Works announced that the Government was to sell its controlling interest in the ferry company, and early in the following year, four prospective buyers (Sealink British Ferries, Nedlloyd, Johnson Line and Stena Line) entered the race to purchase it. During the spring of that year, Stena Line of Sweden offered 6750 Guilders for each 250 Guilder share and this was accepted. The SMZ had previously marketed itself as 'Crown Line' and this had replaced the words, 'Hoek – Harwich' on the *Koningin Beatrix's* hull in 1989.

Three new visitors briefly appeared on the route during January 1989. When the *St. Nicholas* sailed to Wilton at Schiedam for annual overhaul, on 8th January her schedules were taken by the former Sealink Channel Islands ferry *Earl Granville* while ro-ro traffic was transported by the chartered *Mercandian Universe*. The *St. Nicholas* returned to service on 19th January and four days later the *Koningin Beatrix* sailed to Schiedam for her own overhaul. In her place on an eleven day charter came Brittany Ferries' newly purchased *Duchesse Anne*, fresh from a £2.4 million refit in Germany. The vessel was built

De *Stena Seatrader* bij aankomst in Hoek van Holland in juni 1991.

The *Stena Seatrader* arriving at the Hook of Holland in June 1991.

Mike Louagie

De nieuw voor Stena Line gebouwde vrachtferry *Stena Traveller* werd in 1992 voor korte tijd op de route ingezet.

The newly built freight vessel for Stena Line, the *Stena Traveller* was employed for a short period of time in 1992 on the link.

Brittany Ferries gekocht en zojuist opgeleverd na een £2.4 miljoen kostende opknapbeurt in Duitsland. Het schip was in 1979 gebouwd voor de Ierse maatschappij B&I als de *Connaught.*

In maart 1989 verwierf Stena Line AB op de beurs in New York, 9% aandelen in Sealink's moederbedrijf Sea Containers.

De officiële overname van SMZ vond op 22 juni 1989 plaats aan boord van de *Koningin Beatrix,* toen de Minister van Verkeer & Waterstaat en de President van Stena Line, de Heer Lars-Erik Ottosson, de benodigde formaliteiten verrichtten. SMZ was één van de oudste rederijen van Nederland en kon er zich op beroemen, dat ze in haar 114-jarig bestaan nooit een schip heeft verloren in vredestijd.

In augustus 1989 werden de kronen van de schoorsteen van de *Koningin Beatrix* gehaald waarna deze werd overgeschilderd in Stena Line rood met een grote witte 'S'. Op de laatste dag van die maand werd de nieuwe maatschappij-vlag officiëel overgedragen aan kapitein J. Nagel en de vlag werd de volgende morgen om 10.00 uur gehesen, nadat de SMZ-vlag voor de laatste keer was gestreken.

Aan boord ging het gewone leven zoals gebruikelijk verder en het personeel keek uit naar investeringen en uitbreiding van de dienst.

Op 2 mei 1990 kwam de *Stena Seatrader* de route versterken. Oorspronkelijk gebouwd in 1973 als de treinferry *Svealand,* was het 17 jaar oude schip een bruikbare aanwinst. De beide passagiersschepen konden nu in de zomermaanden meer auto's vervoeren.

Sea Containers bleef proberen om een overname door Stena Line AB af te wenden en in 1990 verkocht zij de *St. Nicholas* voor £37 miljoen aan Gotland Rederi AB en huurde haar terug voor 5 jaar met een optie voor nog eens 2 jaar. Stena Line AB ging door met het bod te

for the Irish company B&I as the *Connaught* in 1979.

During March 1989, Stena Line AB acquired a 9% holding in Sealink's parent company, Sea Containers, on the New York stock exchange.

The official transfer of SMZ to Stena Line took place on board the *Koningin Beatrix* on 22nd June 1989, when the Minister of Transport and the President of Stena Line, Mr. Lars-Erik Ottoson completed the necessary documentation. SMZ was one of the oldest companies in Holland and its proud boast was that in its 114 years it had never lost a ship during peacetime.

In August 1989 the crowns from the funnel of the *Koningin Beatrix* were removed. It was repainted Stena Line red with the large white 'S'. On the last day of that month, the ship's new Stena Line houseflag was officially presented to Captain J. Nagel and this was raised at 10.00 on the following day when the SMZ houseflag was lowered for the final time.

On board the ship life continued as usual and the ship's company looked forward to investment and expansion of their service. On 2nd May 1990, the freighter *Stena Seatrader* joined the route. Originally built as the train ferry *Svealand* in 1973, the 17 year old ship was a useful acquisition and allowed both passenger vessels to carry more accompanied car traffic in the summer months.

With Sea Containers attempting to stave off takeover by Stena Line AB, in December 1990 they sold the *St. Nicholas* for £37 million to Gotland Rederi AB and leased her back for five years with an option for another two years. Stena Line AB continued to raise their offer for Sealink and finally secured the company in April

verhogen en uiteindelijk kreeg zij in april 1990 Sealink in handen voor het enorme bedrag van £259 miljoen.

Een van de eerste handelingen van Stena Line was de totale route Hook – Harwich onder Nederlands management te brengen en op 1 januari 1991 werd het Engelse management opgeheven. Na haar jaarlijkse dokbeurt in januari 1991 werd de *St. Nicholas* omgedoopt in *Stena Normandy*, vertrok direkt daarna naar Southampton om voor proef af te meren in het Empress Dock, voordat ze voor de laatste periode vanuit Harwich in dienst kwam. Het schip was bestemd voor een nieuwe dienst tussen Southampton en Cherbourg en voer op 19 juni de laatste reis naar Hoek van Holland, vanwaar ze direkt naar Southampton vertrok.

In haar plaats kwam de voormalige *Silvia Regina*, die Stena Rederi AB drie jaar tevoren had gekocht en die nu *Stena Britannica* gedoopt werd. Het schip was in 1981 gebouwd voor de route Stockholm – Helsinki en kwam op 17 juni om 13.00 uur, onder commando van kapitein Bill King, direkt vanuit Stockholm in Hoek van Holland aan. Twee dagen later, na het laatste vertrek van de *Stena Normandy*, werd de *Stena Britannica* voor de eerste normale reis naar Harwich beladen.

Het laatste schip, dat dienst heeft gedaan op de historische route, was het vrachtschip *Stena Traveller*, dat op 28 februari 1992, direkt van de nieuwbouwwerf in Noorwegen en geheel wit geschilderd, in Hoek van Holland aankwam. Het oorspronkelijke idee was, dat zij het roll on – roll off schip *Stena Seatrader* zou gaan vervangen, dat was gereserveerd voor een twee maanden durende charter in de Middellandse Zee. Dit ging echter niet door en na een periode van stilliggen, verdween de *'Traveller'* tien dagen later voor een NAVO-charter. Op 1 april kwam het schip weer terug in de Hoek om de *'Seatrader'* te vervangen, die voor een jaarlijkse beurt vertrok. Tijdens het tweede weekend in April werd het nieuwe schip naar Niehuis & van den Berg's scheepswerf gebracht, waar zij in Sealink Stena Line kleuren werd overgeschilderd, voordat ze zich bij de voormalige *St. Nicholas* op de route Southampton – Cherbourg voegde.

DE VOLGENDE HONDERD JAAR

Het is niet de wens van de huidige schrijvers zich met denkbeelden bezig te houden, maar het is zeker, dat de volgende eeuw veel uitdagingen voor alle korte vaart ferry-rederijen zal bevatten.

Hoe had iemand zich kunnen voorstellen, dat in 1993 twee enorme schepen van bijna 30.000 bruto register ton op de route zouden varen toen op 1 juni 1893 de *Chelmsford* van de

1990 for a massive £259 million.

One of Stena Line's first acts was to transfer the total Hook of Holland – Harwich route to Dutch control and in January 1991 British management ceased. Following her annual refit in January 1991 the *St. Nicholas* emerged as the *Stena Normandy*, sailing directly to Southampton for trials in the Empress Dock before taking up service at Harwich for her final spell. She was required for a new service linking Southampton and Cherbourg and carried out her final sailing to the Hook of Holland on 19th June after which she sailed directly from there to Southampton.

In her place came the former *Silvia Regina* which Stena Rederi AB had purchased three years previously and which now became the *Stena Britannica*. The ship was built in 1981 for the Stockholm – Helsinki route and arrived at the Hook of Holland directly from Stockholm at 13.00 hours on 17th June under the command of Captain Bill King. Two days later and following the *Stena Normandy's* last departure, the *Stena Britannica* loaded for Harwich before her first commercial sailing.

The final ship to operate on the historic route was the freighter *Stena Traveller* which arrived at the Hook of Holland directly from her builders in Norway, painted completely white, on 28th February 1992. The original idea was that she should replace the route's roll on – roll off vessel *Stena Seatrader* which was earmarked for a two month charter in the Mediterranean Sea. However, this fell through and, after a period of inactivity, ten days later the 'Traveller' disappeared on a NATO charter. She was back again at the Hook of Holland on 1st April deputising for the 'Seatrader' which sailed for her annual overhaul. During the second weekend of April the new ship was retired to the Niehuis & Van den Berg yard where she received the full Sealink Stena Line livery prior to joining the former *St. Nicholas* on the new Southampton – Cherbourg service.

THE NEXT 100 YEARS

It is not the wish of the present writers to enter the realms of fiction but it is certain that the next century will hold many challenges for all short-sea ferry operators.

When the Great Eastern Railway's steamer *Chelmsford* arrived at the Hook of Holland from Harwich on 1st June 1893, how could anyone have imagined that by 1993 two huge vessels of almost 30,000 gross tons would be working the route?

Great Eastern Railway vanuit Harwich in Hoek van Holland aankwam?

Veranderingen in maritieme technologie zijn snel gegaan en gaan nog steeds verder, maar de grootste uitdagingen zullen zeker niet op het gebied van scheepvaart of technologie liggen. Nee, de grootste uitdaging zal zijn of we de steeds maar groeiende handel over de Noordzee aankunnen. De havens van Oost Engeland zijn ideaal gelegen tussen de Engelse Midlands en het industriële noorden en de belangrijkste industrie centra van Europa.

Het is niet de verwachting, dat de opening van de Kanaal Tunnel van veel betekenis zal zijn voor de historische route Harwich – Hoek van Holland, die ver genoeg verwijderd is van de Straat van Dover om erdoor beïnvloed te worden. Een onbezorgde zeereis, waarin gasten zich kunnen vermaken met een groot aantal aktiviteiten in een omgeving van een 5-sterren hotel, is zeker te prefereren boven een dertig minuten durende zit in je auto in een tunnel onder de zee?

Met het verdwijnen van het IJzeren Gordijn, zoeken de havens van noordwest Europa naar wegen om de handel, die na de Tweede Wereldoorlog verloren is gegaan, weer tot stand te brengen. Hoewel dit niet zoveel invloed zal hebben op het passagiersvervoer op de route, zal naar verwachting het vrachtvervoer zich verder gaan ontwikkelen zeker wanneer de huidige recessie komt te verdwijnen. De groei van de vracht is enorm geweest en is er enige reden om aan te nemen, dat dit niet zou doorgaan?

Met de huidige vloot, heeft Stena Line een goede basis en is ze goed voorbereid om de uitdaging van de tweede honderd jaar aan te gaan. Het valt te bezien of hoge snelheids ferries al dan niet van invloed zullen zijn op de onbeschermde en langere oversteken naar het vaste land, maar uit ervaringen tot nu toe is gebleken, dat zij alleen bij goede weersomstandigheden voldoen.

In deze honderd jaar hebben zich, zoals in dit jubileumboek in het kort is uiteengezet, talrijke gebeurtenissen afgespeeld. De route is stevig gevestigd als de belangrijkste verbinding tussen Engeland en Nederland. Alhoewel de huidige eigenaar een betrekkelijke nieuwkomer is op de dienst, is er alle reden, om met veel optimisme naar de toekomst te kijken.

Changes in marine technology have been rapid and continue to advance, but the greatest challenges will surely lie not just in the field of shipping or technology but in coping with the continued growth of North Sea trade. The ports of East Anglia are ideally placed between the English Midlands and industrial North and the chief industrial centres of Europe.

It is not expected that the opening of the Channel Tunnel will have any significant effect upon the historic Harwich – Hook of Holland crossing which is far enough away from the Dover Strait to be unduly influenced by it. A leisurely sea crossing, during which time guests can enjoy a wide range of activities in the surroundings of a five star hotel, is surely preferable to thirty minutes sitting in your car in a tunnel under the sea.

With the disappearance of the Iron Curtain, the ports of north west Europe are seeking to re-establish trade which was lost after the war. Although this should not have too much bearing on the passenger side of the route, the freight side of the business is expected to develop further, especially as the current recession comes to an end. The growth of freight has been phenomenal and is there any reason to believe that this should not continue?

With its present fleet in operation, Stena Line has a good base and is well set to meet the challenge of the second one hundred years. Whether or not high speed ferries will ever have any impact on the more exposed and longer crossings to the Continent remains to be seen, but experience so far has shown them to be very much fine weather craft.

The one hundred years, as briefly outlined in this celebratory book, have been full of incident. The route is well-established as the premier link from Britain to The Netherlands. There is every reason to view its future with a high degree of optimism.

John Carr

Koningin Beatrix

Sten A. Olsson

STENA LINE

De eigen geschiedenis van Stena gaat terug tot 1939, toen Sten A. Olsson (vandaar Stena) de maatschappij oprichtte.

De eerste schepen vervoerden vracht, maar in 1963 richtte de maatschappij zich op het passagiersvervoer. Ze stichtte Skagenlinjen AB en kocht een aantal oudere schepen voor gebruik op de korte zeeroutes in het Kattegat en de westelijke Oostzee. Tegelijkertijd kreeg de vloot de huidige schoorsteenkleuren en door groei kwamen het volgende jaar twee speciaal gebouwde schepen in dienst. In 1965 werd Skagenlinjen AB veranderd in Stena Line AB.

Om in een verbeterde dienst tussen Gothenburg en Frederikshavn (Denemarken) te voorzien, werden nu twee carferries van modern ontwerp gebouwd in Le Trait, Frankrijk. Deze zusterschepen werden *Stena Danica* en *Stena Nordica* genoemd. Het waren de eerste twee schepen die het nu bekende 'Stena' voorvoegsel hadden, maar daar het vervoer zich langzaam ontwikkelde, werd de *Stena Nordica* uitgeprobeerd op een nieuwe route op het Engelse Kanaal.

Bestempeld als 'The Londoner', opende de *Stena Nordica* in juli 1965 de nieuwe dienst tussen Tilbury en Calais. Later dat jaar werd ze verhuurd aan de Schotse dochteronderneming van British Rail, de Caledonian Steam Packet Company (Irish Services) om dienst te doen op de Stanraer – Larne route, waar ze onmiddellijk indruk maakte met haar open autodekken en moderne interieur. Dit was de eerste van vele charters, een activiteit die sindsdien een belangrijke bezigheid van Stena Line is geworden.

De nieuwe en grotere carferry *Stena Germanica* kwam in 1967 in dienst op de Gothenburg – Kiel route en hoewel de route naar Frankrijk slechts twee seizoenen

STENA LINE

Stena can trace its own history back to 1939 when Sten A. Olsson (hence Stena) founded the company. Early ships carried cargo, but in 1963 the Company turned to the passenger market, formed Skagenlinjen AB and purchased a number of elderly vessels for short-sea use in the Kattegat and western Baltic. At the same time the fleet adopted its present funnel colours and expansion saw two purpose-built passenger vessels in service the following year.

Skagenlinjen AB transferred to Stena Line AB in 1965. Now with an eye on providing an improved service between Gothenburg and Fredrikshavn (Denmark), twin car ferries of modern design were built in Le Trait, France, and named *Stena Danica* and *Stena Nordica*. These were the first two vessels to carry the now familiar 'Stena' prefix, but as trade was slow to develop, the *Stena Nordica* was tried on a new route in the English Channel.

Labelled 'The Londoner', the *Stena Nordica* opened the new service between Tilbury and Calais in July 1965. Later that year she was chartered to British Rail's Scottish subsidiary the Caledonian Steam Packet Company (Irish Services) Ltd. for service on the Stranraer – Larne route where she created an immediate impression with her open vehicle decks and modern interior. This was the first of many charters, an activity which has since become a important feature of Stena Line's operations.

geëxploiteerd zou worden, bloeide het vervoer elders.

Een snelle groei van de Zweedse maatschappij volgde en vanaf het eind van de jaren zestig tot op heden zullen er weinig ferry lijnen binnen het Engelse vervoersgebied geweest zijn, die niet voor langere of kortere tijd een schip van Stena gehuurd hebben.

In 1976 betrad Stena AB de wereld van de bevoorradingsschepen en later lieten zij een tweedehands Noorse ferry verbouwen tot drijvend hotel voor constructie arbeiders op de Shetland eilanden.

Met gebruik van de deskundigheid bij Stena, werd een aantal ro-ro schepen van Stena Line verlengd en vergroot, terwijl andere ferries extra autodekken en passagiers accomodatie kregen. Weer later begon de Stena Group aan het vervoer van vloeibaar gas en in de jaren tachtig stichtten zij de Stena Caribbean Line. Veel andere facetten werden toegevoegd aan de Stena Group, waaronder hotels, metaal, papier, pulp, onderzeese exploratie, electronica, chemicaliën, bulktransport, containers, zwaar transport en het verschepen van zware olie. Tegelijkertijd bleef het Stena ferry imperium zich uitbreiden en een groot aantal dochterondernemingen werd gesticht om de Stena Line schepen in het buitenland te beheren.

Heden is Stena Line, "de voornaamste ferry maatschappij ter wereld" – een groot noordwest Europees bedrijf. Hoewel ze hun reputatie met het veel gepubliceerde Travel Service Concept in de Oostzee verkregen hebben, blijft de maatschappij elders nieuwe normen aangeven.

The new and larger car ferry *Stena Germanica* entered service on the Gothenburg – Kiel (West Germany) route in 1967 and, although the French route was only to operate for two seasons, trade elsewhere flourished.

Rapid expansion of the Swedish company followed, and from the late sixties until the present time, there can have been few ferry lines within the British sphere of operation that have not, at some time or another, chartered a vessel from Stena.

In 1976 Stena entered the field of oil rig supply vessels and later rebuilt a second-hand Norwegian ferry as a floating hotel for construction workers in the Shetland Islands.

Using Stena expertise, a number of Stena Line ro-ro vessels were lengthened and stretched while other ferries received extra vehicle decks and passenger accommodation. Later still the Stena Group entered the liquified gas transport business and during the eighties they formed Stena Caribbean Line. Many other facets were added to the Stena Group involving hotels, metals, paper pulp, sub-sea exploration, electronics, chemicals, bulk-transport, containerisation, heavy-lift and the shipment of crude oil. At the same time the Stena ferry empire continued to expand and a large number of subsidiaries were formed to manage Stena Line ships in foreign countries.

Today Stena Line "the World's leading ferry company" – is a major North West European operator. Having gained its reputation in the Baltic with its much publicised Travel Service Concept, the company continues to set new standards elsewhere.

Stena Jutlandica

Stena Line

Captain D.C. Ouwehand

HERINNERINGEN VAN EEN GEZAGVOERDER

De in 1907 geboren kapitein D.C. Ouwehand kwam, na een korte carrière bij de Rotterdamsche Lloyd, in 1937 als 2e stuurman in dienst van de SMZ. Zijn nieuwe werkgever was hem welbekend, daar zijn vader, kapitein A.D. Ouwehand, eveneens in 1937 na 36 dienstjaren werd gepensioneerd, waarvan de laatste 15 jaren als gezagvoerder. Vader en zoon waren de vijfde en de zesde generatie Ouwehand, die deze rang gehad hebben.

Kapitein Ouwehand's oudste herinneringen aan de SMZ gaan terug naar de jaren vóór de Eerste Wereldoorlog, toen zijn vader hem meenam van Vlissingen naar Rotterdam aan boord van een van de raderschepen van de maatschappij . De schepen gingen vaak daarheen om te dokken en meestal namen de bemanningsleden dan hun familieleden mee. De kapitein herinnert zich de aandacht, die de vrouwen, gekleed in Zeeuwse klederdracht, dan kregen van de mensen in Rotterdam.

Het is opmerkelijk dat zowel vader als zoon kapitein waren op de *Oranje Nassau* gedurende de 45 jaar dat dit schip bij de SMZ voer. Kapitein Ouwehand herinnert zich, dat de oude schepen zeer goed onderhouden werden, maar dat was mogelijk door slechts één afvaart per dag. Daarnaast was er altijd een reserveschip en buiten het seizoen ondergingen de schepen op toerbeurt een langdurige opknapbeurt. Als gevolg hiervan was de *Oranje Nassau* aan het eind van haar bestaan nog steeds in staat om een snelheid van 20 knopen te halen.

In de eerste jaren, dat kapitein Ouwehand bij de SMZ voer, was de navigatie geheel

A CAPTAIN'S MEMORIES

Captain D.C. Ouwehand was born in 1907 and, after a brief career with the Rotterdam Lloyd, joined SMZ as a Second Officer in 1937. His new Company was well known to him as his father, Captain A.D. Ouwehand, also retired in 1937 after 36 years of service, the last 15 of which had been as Master. Father and son were the fifth and sixth generations of Ouwehand that had held this rank.

Captain Ouwehand's first memories of the SMZ go back to the years before the First World War when his father took him from Flushing to Rotterdam on one the the company's paddle steamers. The ships often went there for dry docking and crew members frequently took their relatives with them. The Captain remembers the attention that the women, dressed in the traditional costume of the Province of Zeeland, drew from the people in Rotterdam.

During her remarkable 45 years with the SMZ, it is interesting that both father and son served as Captain of the *Oranje Nassau.* Captain Ouwehand remembers that the old ships were exceptionally well maintained but this was possible by only operating a single sailing each day. Besides that there was always one ship spare and in the off-season the ships always underwent lengthy overhauls in turn. As a result, the *Oranje Nassau* was still capable of 20 knots at the end of her career.

In the early years that Captain Ouwehand spent with the SMZ, navigation was very different when compared to that of today. There were no electronic navigation aids and the ships crossed the North Sea from one buoy or lightship to the next dead reckoning. In fog, navigation was very awkward as there

anders dan die van tegenwoordig. Er waren geen electronische navigatiemiddelen en de schepen staken met gegist bestek de Noordzee over van de ene boei of lichtschip naar de volgende. In de mist was de navigatie erg gevaarlijk, daar er geen radar bestond. Gegevens van de scheepslog van voorgaande reizen onder dezelfde omstandigheden met betrekking tot stroom, wind etc. werden gebruikt om de koers naar de volgende boei te berekenen en soms gaf een kleurverandering van het zeewater een indicatie van de scheepspositie.

In Vlissingen had de SMZ een eigen onderwater klok-signaal aan één zijde van de Buitenhaven, terwijl mannen met een handbediende misthoorn naar de andere kant gestuurd werden. Met deze hulpmiddelen waren de schepen altijd in staat de ingang te vinden. Gelukkig maakten de machines van stoomschepen nauwelijks geluid en dat maakte het gemakkelijker geluiden van andere schepen en het breken van de golven op de rivieroevers te horen.

In mei 1940 ontsnapte kapitein Ouwehand naar Engeland als 1e stuurman op de *Koningin Emma*. Op dit schip maakte hij een reis naar IJsland met Engelse troepen, voordat ze in september van dat jaar gevorderd werd door de Admiralty. Hij verliet het schip in Belfast en werd overgeplaatst naar de *Oranje Nassau* en later de *Mecklenburg*. Hij was 1e stuurman op het laatstgenoemde schip tijdens de landingen in Normandië en nam kort daarna het commando over. Hij herinnert zich, dat de landingsvaartuigen zeer kwetsbaar waren, in het bijzonder de boegklep en verschillende zijn verloren gegaan (met veel verlies van mensenlevens) tijdens de oefeningen voorafgaand aan D-Day.

Kapitein Ouwehand was gezagvoerder op de *Mecklenburg*, toen dit schip later op de troependienst Tilbury – Oostende voer. Dit was een zeer gevaarlijke tijd, daar Oostende dicht bij de Nederlandse bases lag, vanwaar de Duitsers met 'Schnellboote' en mini-onderzeeërs opereerden, maar later werd het schip ingezet in de Nederlandse Regerings diensten vanuit Rotterdam.

In deze dagen had de *Mecklenburg* nog steeds de vaste ballast uit de oorlog (om het gewicht van de bewapening en de zware landingsvaartuigen te compenseren) aan boord en lag daarbij tot aan haar berghouten in het water. In deze conditie vervoerde zij grote hoeveelheden ondervoede kinderen naar Engeland door niet opgeruimde mijnenvelden.

In het begin van de vijftiger jaren deed kapitein Ouwehand dienst op de *Mecklenburg*

was no radar. Particulars from the ship's logs of previous trips under similar conditions with regard to the current, wind etc. were used to determine the course to the next buoy and even a change of sea colour could give an indication of the ship's position.

At Flushing, the SMZ operated their own submarine bell on one side of the Outer Harbour, while men were sent with a hand-operated fog horn to the other side. With these aids the ships always managed to find the entrance. Fortunately the engines of the steam ships were very quiet and this made it easier to hear sounds from other ships and the slap of the waves against the river banks.

In May 1940, Captain Ouwehand escaped to England as Chief Officer of the *Koningin Emma*. In this ship he made a trip to Iceland with British troops before she was requisitioned by the Admiralty in September of that year. He left the ship in Belfast and was transferred to the *Oranje Nassau* and later the *Mecklenburg*. He was Chief Officer of this latter ship during the Normandy Landings and took over command shortly afterwards. He remembers that the landing craft were very vulnerable, particularly their bow ramps, and several of them were lost (with many casualties) during the practice period prior to D-Day.

Captain Ouwehand was Master of the *Mecklenburg* when she later operated on the Tilbury – Ostend troop service. This was a particularly dangerous time as Ostend was close to the Dutch bases from where the Germans operated E-Boats and midget submarines, but later still the steamer took up the Government services from Rotterdam.

In those days the *Mecklenburg* still retained her wartime ballast (to compensate for her armament and heavy landing craft) and she was down in the water to belting (rubbing strake) level. In this condition she transported large numbers of underfed children to England through uncleared minefields.

In the early fifties, Captain Ouwehand served on the *Mecklenburg* during her Folkestone – Flushing tourist service and on the *Oranje Nassau* which was on the Batavier Line's Rotterdam – Tilbury link. Later in the fifties, Captain Ouwehand returned to the 'Meck' on the Hook of Holland – Harwich service, although part of the wartime ballast remained which made the vessel very 'heavy' to handle. On one occasion the wheelhouse windows were smashed by heavy seas after which special wooden boards were made to cover them during bad weather. The ballast was later removed.

Cars were carried on deck at the owners'

tijdens de toeristendiensten van Vlissingen naar Folkestone en op de *Oranje Nassau*, die op de verbinding Rotterdam – Tilbury van de Batavier Lijn voer. Later in de vijftiger jaren keerde kapitein Ouwehand terug naar de *'Meck'* op de Hoek – Harwich dienst. Een gedeelte van de oorlogs ballast was toen nog aan boord, wat het schip 'zwaar' maakte. Door zware zeeën zijn eens de ramen van het stuurhuis ingeslagen, waarna speciale houten planken zijn gemaakt om ze bij slecht weer af te dekken. De ballast werd later verwijderd.

Auto's werden in die dagen aan dek geladen op eigen risico van de eigenaars en brekende zeeën deukten soms hun carrosserie.

Een paar maanden voordat de *Mecklenburg* uit dienst werd genomen, werd kapitein Ouwehand overgeplaatst naar het motorschip *Prinses Beatrix*.

Daar de dienst een verbinding was tussen de spoorwegen aan beide kanten van de Noordzee, was het essentieel dat de snelheid van de schepen zodanig was, dat ze in staat waren de belangrijke verbindingen te halen. Zelfs in slecht weer konden ze niet voor langere tijd langzamer gaan varen, doch in sommige gevallen vertrokken de treinen voordat het schip was aangekomen. In dergelijke gevallen bleven de passagiers aan boord, gebruikten het schip als hotel en namen de volgende ochtend de trein. Gelukkig lagen de SMZ schepen altijd langs de kade tot laat in de volgende morgen en met minder passagiers in de wintertijd, was er altijd voldoende accomodatie.

Kapitein Ouwehand ging in 1967 met pensioen en woont nog steeds met zijn vrouw in Hoek van Holland.

Henk van der Lugt

own risk during those days and breaking seas would sometimes dent their bodywork. A few months before the *Mecklenburg* was taken out of service, Captain Ouwehand transferred to the motor vessel *Prinses Beatrix*.

As the service was a link between the railways on both sides of the North Sea, it was essential that the ships operated at a speed which would enable to them to meet those vital connections. Even in bad weather they could not slow down for long periods, but occasionally the trains left before the ships arrived. In cases such as these the passengers remained on board and used the ship as a hotel until the next morning's train. Fortunately the SMZ ships were always alongside until late the following morning, and with fewer passengers crossing in wintertime, there was always enough accommodation.

Captain Ouwehand retired in 1967 and still lives with his wife in the Hook of Holland.

Henk van der Lugt

Henry Maxwell

Mecklenburg

SERVICE:
HOEK VAN HOLLAND – HARWICH

Stoomvaart Maatschappij Zeeland
Koninklijke Nederlandsche Postvaart N.V.
* not used between Hook of Holland and Harwich.

		blt	in service
1 *	ps Stad Middelburg	1865	1875 – 1888
2 *	ps Stad Vlissingen	1865	1875 – 1879
3 *	ps Stad Breda	1863	1875 – 1883
4 *	ps Prinses Elisabeth	1878	1878 – 1898
5 *	ps Prinses Marie	1878	1878 – 1898
6 *	ps Prins Hendrik	1880	1880 – 1902
7 *	ps Willem, Prins van Oranje	1883	1883 – 1909
8 *	ps Duitschland	1886	1886 – 1922
9 *	ps Engeland	1886	1886 – 1911
10 *	ps Nederland	1887	1887 – 1910
11 *	ps Koningin Wilhelmina (1)	1895	1895 – 1916
12 *	ps Koningin Regentes	1895	1895 – 1918
13 *	ps Prins Hendrik (2)	1895	1895 – 1922
14 *	ss Prinses Juliana (1)	1909	1909 – 1916
15	ss Oranje Nassau	1909	1909 – 1954
16 *	ss Mecklenburg (1)	1909	1909 – 1916
17	ss Prinses Juliana (2)	1920	1920 – 1940
18	ss Mecklenburg (2)	1922	1922 – 1960
19	ms Koningin Emma	1939	1939 – 1968
20	ms Prinses Beatrix (1)	1939	1939 – 1968
21	ms Koningin Wilhelmina (2)	1960	1960 – 1978
22	ms Koningin Juliana	1968	1968 – 1984
23	ms Prinses Beatrix (2)	1978	1978 – 1985
24	ms Koningin Beatrix	1986	1986 – 1989

On bare-boat charter to S.M.Zeeland:

31	ms Zeeland	1973	1984 – 1986

Stena Line B.V., Hoek van Holland

61	ms Koningin Beatrix	1986	1989 – today

On bare-boat charter to Stena Line B.V.:

41	ms Stena Seatrader	1973	1990 – today

On time charter to Stena Line B.V.:

51	ms Stena Normandy	1981	1991
52	ms Stena Britannica	1981	1991 – today
53	ms Stena Traveller	1992	1992

SERVICE:
HARWICH – HOEK VAN HOLLAND ROTTERDAM ANTWERP ZEEBRUGGE

Great Eastern Railway Company
London & North Eastern Railway
British Transport Commission
British Railways/British Rail
Sealink (UK) Ltd
Sealink Stena Line Ltd
Stena Sealink Ltd

		blt	in service
101	ps Avalon (1)	1864	1864 – 1866
102	ps Zealous	1864	1864 – 1887
103	ps Harwich	1864	1864 – 1907
104	ps Rotterdam	1864	1864 – 1887
a	ss Peterboro	1864	1887 – 1908
105	ps Avalon (2)	1865	1865 – 1888
106	ps Ravensbury	1865	1865 – 1870
107	ps Great Yarmouth	1866	1866 – 1871
108	ps Richard Young	1871	1871 – 1890
a	ss Brandon	1871	1890 – 1905
109	ps Pacific	1864	1872 – 1887
110	ps Claud Hamilton	1875	1875 – 1897
111	ps Princess of Wales	1878	1878 – 1896
112	ps Lady Tyler	1880	1880 – 1893
113	ps Adelaide	1880	1880 – 1896
114	ss Norwich	1883	1883 – 1905
115	ss Ipswich	1883	1883 – 1907
116	ss Cambridge	1887	1887 – 1912
117	ss Colchester (1)	1889	1889 – 1918
118	ss Chelmsford	1893	1893 – 1910
119	ss Berlin	1894	1894 – 1907
120	ss Amsterdam (1)	1894	1894 – 1928
121	ss Vienna (1)	1894	1894 – 1920
a	ss Roulers	1894	1920 – 1930
122	ss Dresden	1897	1897 – 1915
a	ss HMS Louvain	1897	1915 – 1918
123	ss Cromer	1902	1902 – 1934
124	ss Brussels	1902	1902 – 1917/ 1918 – 1920
125	ss Yarmouth	1903	1903 – 1908
126	ss Clacton	1904	1904 – 1917
127	ss Newmarket	1907	1907 – 1918
128	ts Copenhagen	1907	1907 – 1917
129	ts Munich	1908	1908 – 1916
	a ts St. Denis	1908	1916 – 1940
130	ts St. Petersburg	1910	1910 – 1916
a	ts Archangel	1910	1916 – 1941
131	ts Stockholm	1917	-(requisitioned on stocks)
132	ss Felixstowe	1918	1918 – 1941/ 1946 – 1948
133	ss Kilkenny	1903	1917 – 1919
a	ss Frinton	1903	1919 – 1929
134	ts St. George (1)	1906	1919 – 1929
135	ts Antwerp	1920	1920 – 1950
136	ts Bruges	1920	1920 – 1940
137	ts Malines	1922	1922 – 1942
138	ss Sheringham	1926	1926 – 1958
139	ts Vienna (2)	1929	1929 – 1960
140	ts Prague	1930	1930 – 1948
141	ts Amsterdam (2)	1930	1930 – 1944
142	ss Dewsbury	1910	1918 – 1919/ 1946 – 1959
143	ss Accrington	1910	1918 – 1919/ 1946 – 1951
144	ss Arnhem	1947	1947 – 1968
145	ss Duke of York	1935	1948 – 1963
146	ss Amsterdam (3)	1950	1950 – 1968
147	ms Isle of Ely	1958	1958 – 1969/ 1969 – 1975
148	ms Colchester (2)	1959	1959 – 1973/ 1973 – 1975
149	ss Avalon (3)	1963	1963 – 1974/ 1974 – 1981
150	ms Seafreightliner I	1967	1967 – 1986/ laid up-87

No.	Ship	Built	Service
151	ms Seafreightliner II	1967	1967 – 1986/ laid up-87
152	ms St. George (2)	1968	1968 – 1983/ laid up-84
153	ms St. Edmund	1974	1974 – 1982/ requisitioned by MOD
154	ms St. Nicholas	1981	1983 – 1991

Bareboat charters

No.	Ship	Built	Service
51	ms Stena Normandy	1981	1991*
52	ms Stena Britannica	1981	1991 – today

* This ship is now based on the Southampton – Cherbourg route.

THE SHIPS OF THE ROUTES:

Abbreviations:

4sa = 4 stroke single acting / m = metres / hp = horse power (0,736 x = kW) /B.A.O.R. = British Army on Rhine.

THE DUTCH FLEET

Ships of the S.M.Z., in relation with the route.

Issue: 29-03-1993.

15 ORANJE NASSAU

Gross tonnage	3053	Nett tonnage	1121
Deadweight	2405		
Dimensions	110,64m x 13,50m x 7,24m;		
Engine	twin screw steamer built by Fairfield Shipbuilding & Engineering Co. Ltd., Glasgow, 2 x T3cil; 10000 hp; 22 knots		
Capacity	246 1st class / 110 2nd class passengers		
Ordered	16-11-1908		
Launched	05-07-1909		
Builder	Fairfield Shipbuilding & Engineering Co. Ltd., Glasgow (462).		
Entered service	11-1909		
Route	Flushing and Queenborough, 1911 Folkestone, 1927 Harwich, 1946 Hook–Harwich		

06-1911 visited the "fleet-review" at Spithead; 01-01-1927 arrived as the first ship of S.M.Z. on the route Flushing – Harwich at Parkeston Quay; summer 1928 hotelship in Amsterdam during the Olympic Games; 11-05-1940 sailed from Flushing to the Downs, later to London and in management of Wm.H.Müller & Co (London) Ltd.; 29-08-1941 in use in Holyhead as accomodation ship of the Royal Netherlands Navy

27-08-1945 until 29-06-1946 in service as a trooper between London/Harwich and Rotterdam; 29-07-1946 back in civilian service between Hook of Holland and Harwich; between 1949 and 1952 every summer in charter of Batavier Line Rotterdam – London v.v.; relief ship until she left for the last voyage to the breakers yard. 12-07-1954 arrived at Hendrik Ido Ambacht (Holland) for breaking up by N.V. Holland Scrapyard.

17 PRINSES JULIANA (2)

Gross tonnage	2908	Nett tonnage	1122
Deadweight	2407	Draft	4,27m
Dimensions	110,72m x 13,01m x 7,29m		
Engine	Kon. Mij De Schelde, Vlissingen, 2 x T3cyl; 10000 hp; 22 knots		
Capacity	267 1st class / 110 2nd class passengers		
Ordered	22-05-1917	Keel laid	27-11-1917
Launched	13-03-1920		
Builder	Koninklijke Maatschappij De Schelde, Vlissingen (=Flushing) (171).		
Entered service	12-08-1920		
Route	Flushing – Folkestone; used several times on service to the Hook		

11-05-1940 requisitioned by the Dutch Navy; 12-05-1940 attacked by German aircraft near the entrance of Hook of Holland, during the voyage from Flushing to IJmuiden with troops and military horses. Heavily damaged, grounded north of north pier of Hook of Holland. All troops and crew were saved, one crew member died during the attack. Broke in two on 24-06-1940. The remains of the wreck are still in the same position.

18 MECKLENBURG (2)

Gross tonnage	2907	Nett tonnage	1122
Deadweight	2408	Draft	4,27m
Dimensions	110,72m x 13,01m x 7,29m		
Engine	twin screw steamer built by Fairfield Shipbuilding & Engineering Co. Ltd., Glasgow, 2 x T3cyl; 10000 hp; 22 knots		
Capacity	246 1st class / 110 2nd class passengers		
Ordered	22-11-1916	Keel laid	04-02-1919
Launched	18-03-1922		
Builder	Koninklijke Maatschappij De Schelde, Vlissingen (170).		
Entered service	19-07-1922		
Route	Flushing–Folkestone/Hook–Harwich		
Maiden voyage	23-07-1922		
04-09-1939	laid up in Flushing		

11-05-1940 sailed via the Downs to London and laid up there. In management of Wm. H. Müller & Co (London) Ltd in use as military accommodation ship in Portsmouth between 09-10-1940 and 15-01-1941; depot ship for NAAFI, later submarine service until 30-05-1943. Requisitioned by the Royal Navy and converted as landing ship for the Infantry, took part in the landings on the coast of Normandy in 06-1944

21-11-1945 until 04-04-1946 in use as trooper between Rotterdam and London and Harwich; 16-04-1946 back in civilian service; 1947 refitted and changed to oil burning boilers by Wilton Fijenoord, Schiedam (Holland); capacity 67 1st cl pass/ 450 deck pass.; 13-06-1947 maiden voyage from Rotterdam to Harwich with invited persons and 14-06-1947 first trip with passengers on the Hook of Holland – Harwich route; in the summers of 1949 until 1952 on the Flushing – Folkestone route, but that was not successful; 25-10-1959 laid up; 15-05-1960 arrived in Gent (Belgium) for breaking up by Van Heijghen Frères.

Frank Haalmeijer

19 KONINGIN EMMA

Gross tonnage	4353	Nett tonnage	2188
Deadweight	2994	Draft	4,40m
Dimensions	115,82m x 14,38m x 7,57m		
Engine	twin screw motorship built by De Schelde/Sulzer, 2 x 10cyl 2sa diesels; 12500 hp; 23 knots		
Capacity	297 night service/1800 day service; 35 cars.		
Ordered	12-1937	Keel laid	07-05-1938
Launched	14-01-1939		
Builder	Koninklijke Maatschappij De Schelde, Vlissingen (209); sea trials 19-05-1939.		
Entered service	06-1939		
Route	Flushing–Harwich/Hook–Harwich		
Maiden voyage	04-06-1939		
02-09-1939	laid up in Flushing		

10-05-1940 sailed via the Downs to London; 17-05-1940 in service of Ministry of War Transports; After 09-1940 converted by Harland & Wolff, Belfast as landing ship; entered service 14-01-1941 as HMS *Queen Emma* and used all over the world.

29-04-1946 returned to Flushing, converted as ferry in civilian service with a capacity of 1423 pass in dayservice or 203 1st cl pass/ 94 2nd cl pass; 28-02-1948 sea trials; 05-03-1948 maiden voyage Hook of Holland – Harwich in the night service in charter of B.R.; summer 1948 in charter of Batavier Line Rotterdam – London; 18-12-1968 towed to Antwerp and broken up by Jos de Smedt.

20 PRINSES BEATRIX (1)

Gross tonnage	4353	Nett tonnage	2188
Deadweight	2994	Draft	4,40m
Dimensions	115,82m x 14,38m x 7,57m		
Engine	as detailed nr 19		
Capacity	297 night service/1800 day service; 35 cars.		
Ordered	12-1937	Keel laid	07-05-1938
Launched	25-03-1939		
Builder	Koninklijke Maatschappij De Schelde, Vlissingen (210); sea trials 24-06-1939.		
Entered service	07-1939		
Route	Flushing–Harwich/Hook–Harwich		
Maiden voyage	03-07-1939		
02-09-1939	laid up in Flushing		

10-05-1940 as detailed nr 19; 22-01-1941 renamed HMS *Princess Beatrix*

13-04-1946 returned to Flushing and converted to a civilian ferry; 07/08-09-1946 on charter to Dutch Government in service between Rotterdam – Harwich; 29-05-1948 sea trials; 31-05-1948 maiden voyage Hook of Holland – Harwich; 09-1968 laid up in Schiedam; 19-12-1968 towed to Antwerp for breaking up by Jos de Smedt.

21 KONINGIN WILHELMINA

Gross tonnage	6228	Nett tonnage	2727
Deadweight	732	Draft	4,89m
Dimensions	120,02m x 17,33m x 9,50m		
Engine	twin screw motorship built M.A.N., Augsburg (Germany), 2 x 12cyl 2sa diesels; 15600 hp; 21 knots		
Capacity	1600 passengers dayservice or 100 nightservice; 60 cars.		
Ordered	06-1956		
Launched	30-05-1959		
Builder	N.V. Scheepswerf & Machinefabriek "De Merwede", Hardinxveld (548); 8 + 11-01-1960 sea trials.		
Entered service	30-01-1960		
Route	Hook of Holland – Harwich		
Maiden voyage	07-02-1960		

15-06-1967 Queen Juliana opened from this ship the new entrance of IJmuiden and on 11-06-1971 the opening of the new entrance to Europoort by Queen Juliana. 01-07-1978 laid up in Flushing as relief ship; 10-12-1978 sailed Flushing as *Captain Constantinos* and arrived in Piraeus 18-12-1978; refitted and converted as ro/ro passenger ferry; owned by C. Ventouris & Sons, Piraeus and came in service between Syros – Tinos – Mykonos and Piraeus; 1981 renamed *Panagia Tinoy,* same owners, still in service.

Frank Haalmeijer

22 KONINGIN JULIANA

Gross tonnage	6682	Nett tonnage	3475
Deadweight	1290	Draft	5,00m
Dimensions	131,02m x 20,48m x 12,27m		
Engine	built by M.A.N. Augsburg (Germany), 4 x 9cyl 4sa diesels; 19200 hp; 21 knots		
Capacity	1200 passengers day service or 750 night service; 220 cars.		
Keel laid	04-1967	Sea trials	07/08-09-1968
Launched	02-02-1968		
Builder	Cammell Laird & Co. Ltd., Birkenhead (England) (1331); 13-06-1968 suffered from fire during construction.		
Entered service	14-10-1968		
Route	Hook of Holland – Harwich (she was first S.M.Z. ro/ro passenger ferry)		
Maiden voyage	17-10-1968		

08-04-1984 laid up in Rotterdam; 24-12-1984 sold to Mr. Tromp, Leiden (Holland) and repainted with red, white and blue hull as *Holland Trade Ship;* 06-02-1985 left Rotterdam for Amsterdam and laid up again under her original name, owned by Administratie- en bemiddelingskantoor Tromp, Kampen (Holland); 09-1985 sold to Navigazione Arcipelago Maddalenino SpA, Naples; 10-10-1985 sailed from Amsterdam after renaming as *Moby*

Prince and in use as ferry between Naples and Cagliari. 11-04-1991 collided with the anchored Italian tanker *Agip Abbruzzio,* off the Italian coast near Leghorn. The *Moby Prince* was completely gutted by fire and 141 persons died and only 1 survived. The gutted wreck laid up in Leghorn.

FotoFlite

23 PRINSES BEATRIX (2)

Gross tonnage	9356	Nett tonnage	4862
Deadweight	1887	Draft	5,17m
Dimensions	132,16m x 22,56m x 13,01m		
Engine	twin screw motorship built by Stork Werkspoor, Amsterdam, 4 x 8cyl 4sa diesels; 22000 hp; 21 knots		
Capacity	1500 passengers dayservice / 966 passengers nightservice; 320 cars.		
Sea trials	05-1978		
Launched	14-01-1978		
Builder	Scheepswerf Verolme, Heusden (959)		
Entered service	24-06-1978		
Route	Hook of Holland – Harwich		
Maiden voyage	29-06-1978		

01-10-1985 sold to Brittany Ferries and came under French flag, port of registry: Caen, but chartered back by S.M.Z. for use on the route; Dutch crew remained on board with an extra French captain; 01-05-1986 delivered to Brittany Ferries in Rotterdam and renamed *Duc de Normandy,* refitted in Rotterdam for the Caen – Portsmouth service (Société Economique Mixte d'Armement Naval du Calvados); 05-06-1986 maiden voyage Portsmouth – Caen. Still in service.

24 KONINGIN BEATRIX

Gross tonnage	31189	Nett tonnage	15170
Deadweight	3060	Draft	6,20m
Dimensions	161,78m x 27,60m x 15,80m		
Engine	twin screw motorship built by M.A.N. Augsburg (Germany) 4 x 8cyl 4sa diesels; 26000 hp; 21 knots		
Capacity	2100 passengers day service/1879 night service (1991 reduced to 1800 day/night); 500 cars.		
Keel laid	25-01-1985	Sea trials	11/14-03-1986
Launched	09-11-1985		
Builder	Van der Giessen De Noord, Krimpen aan de IJssel (935).		
Entered service	16-04-1986		
Route	Hook of Holland – Harwich		
Maiden voyage	22-04-1986		

01-1989 repainted with Crown Line logo in the side; 01-09-1989 delivered in the company take-over to Stena Line BV and repainted in Stena livery. Still in service as fleetlist nr 61.

Bareboat charters

31 ZEELAND

Gross tonnage	6801	Nett tonnage	3370
Deadweight	1202	Draft	5,50m
Dimensions	128,12m x 19,99m x 12,22m		
Engine	twin screw motorship built by Werkspoor, 4 x 8cyl 4sa diesels, 20400 hp; 23 knots		
Capacity	634 passengers in berths and 866 on deck, total 1500 passengers		
Launched	1972		
Builder	Ateliers & Chantiers du Havre, Graville, France (212) as *Peter Wessel* for A/S Larvik Frederikshavnferjen (Larvik Line), Larvik, Norway for service between Larvik and Frederikshavn.		
Entered service	26-07-1973		

03-1984 chartered out for 2 years to Stoomvaart Maatschappij Zeeland, Hook of Holland for service between Hook of Holland and Harwich. Registration under Bahamian flag and owned by Admiralty Shipping Co. Nassau, Bahamas.

Repainted and renamed to *Zeeland* at Larvik, 01-04-1984 she entered service from the Hook. 04-1986 delivered back to A/S Larvik Frederikshavnferjen in Rotterdam. Sold by LF to Stena Line A/B and delivered to Rotterdam, renamed *Stena Nordica.*

23-11-1988 sold to Jadrolinija, Yugoslavia and left Gothenburg the next day as *Marko Polo* for the Adriatic Sea. Still belongs to Jadrolinija, but on charter between Trelleborg and Rostock for TT-Line during 1992.

Stena Line BV (owner)

61 KONINGIN BEATRIX

(see details nr 24)

Bareboat charter Stena Line BV

41 STENA SEATRADER

Gross tonnage	5160	Nett tonnage	1598
Deadweight	2985	Draft	5,54m
Dimensions	148,01m x 22,13m x 7,73m		
Engine	Lindholmens Motor Akt, Gothenburg, 2 x 6cyl 4sa diesels + 2 x 8cyl 4sa diesels; 14000 hp; 18,5 knots		
Capacity	36 passengers		
Builder	A/S Nakskov Shipyard, Nakskov, Denmark (199) for Lion Ferry A/B, Halmstad, Sweden and chartered out to the Swedish State Railways (SJ), named *Svealand,* in service between Trelleborg and Sassnitz.		
Entered service	09-1973		

1981 charter finished. 1982 sold to Rederi A/B Nordö, Malmö, Sweden and lenghtened by 33m to 181,60m length overall and new draft 6,22m by Howaldtswerke/Deutsche Werft AG, Hamburg, new section (507); renamed *Svealand av Malmö;* Gross tonnage 6962,41; Nett tonnage 2874,85; Deadweight 6130. Re-engined: Pielstick 2 x 2 8cyl 4sa diesels of 4000 hp each and Pielstick 2 x 2 6cyl 4sa diesels of 3000 hp each. 11-1982 entered service between Malmö and Travemünde.

1987 major rebuilding was carried out by Wärtsilä Marine Industries Inc., Turku Shipyard, Finland, in which the accomodation was lifted and extended, including a new part of cargospaces were fitted under the accomodation. Renamed *Svea Link.*

1989 sold to Stena A/B, Gothenburg, Sweden and resold to Lily Shipping BV, Amsterdam (100% subsidiary of Stena International BV, Amsterdam)

04-1990 chartered out by Lily Shipping BV to Stena Line BV, Hook of Holland for 5 years and renamed *Stena Seatrader*

Gross tonnage 6962; Nett tonnage 2874; Deadweight 6130; Port of registry: Hoek van Holland.

01-05-1990 entered service between Hook of Holland and Harwich as a freight vessel with accomodation for 223 passengers and 29 crew. Still in service.

TIME CHARTERS STENA LINE BV

51 STENA NORMANDY

(see details Harwich-fleet nr 154)

52 STENA BRITANNICA

(see details Harwich-fleet nr 52

53 STENA TRAVELLER

Gross tonnage	18625	Nett tonnage	5585
Deadweight	5275	Draft	4,27m
Dimensions	110,72 m x 13,01m x 7,29m		
Engine	twin screw motorship built by Sulzer/Wärtsila; 2 x 8cyl diesels; 14400 hp; 18 knots		
Capacity	capacity 141 pass. (accomodation was not furnished completely)		
Launched	01-1992		
Builder	Fosen Mek. Verksteder A/S, Rissa, Norway (51).		

Delivered to Stena Rederi AB, Gothenburg, Sweden and laid up in Norway. Maiden voyage from Norway to Hook of Holland to temporarily replace the *Stena Seatrader,* which was due to be chartered out for 10 weeks to the Mediterranean, but was cancelled at the last moment. *Stena Traveller* arrived in Hook of Holland on 28-02-1992. *Stena Traveller* had only two weeks to replace *Stena Seatrader* during drydocking, between Hook of Holland and Harwich and left the Hook for Southampton on 14-04-1992. She took a new charter for Sealink Stena Line Ltd for 6 months, between Southampton and Cherbourg. After she was chartered by TT Line in the Baltic. Renamed *TT Traveller.* Still in service.

THE HARWICH FLEET

101 AVALON

Gross tonnage	613
Dimensions	70,15m x 8,26m
Engine	paddle steamer; 12 knots
Launched	1864
Builder	Messrs J & W Dudgeon of Poplar (London)
Entered service	13-06-1864
Route	Harwich – Rotterdam

1866 sold to the Government of Brazil.

102 ZEALOUS

Gross tonnage	613	Nett tonnage	455
Deadweight	499	Draft	3,56m
Dimensions	70,15m x 8,24m		
Engine	paddle steamer, J & W Dudgeon: oscil. 2cyl 54"-30"; 220 NHP (1060 pk); 10 knots		
Launched	24-05-1864 by Miss. Goodson		
Builder	Messrs J & W Dudgeon of Poplar (London)		
Entered service	01-08-1864		
Route	Harwich – Rotterdam		

1873 rebuilt for trading passengers/freight and reboilered.

1887 sold for scrap.

103 HARWICH (master Mr Elwaid)

Gross tonnage	750	Nett tonnage	550
Deadweight	613	Draft	4,27m
Dimensions	65,58m x 8,24m x 5,34		
Engine	paddle steamer, details not known; (1060 pk); 10 knots.		
Launched	13-08-1864	Entered service	1864
Builder	Messrs Simpson of London.		

1884 rebuilt as twin screw steamer, reboilered by Earle's Co., Hull.; engine comp. 4cyl, 153 NHP, Earle's Co., Hull.

1889 converted to a cattle-carrier, 05-03-1889 delivered as the first cattle-ship on the Harwich – Rotterdam route.

Lloyds register	1899		
Gross tonnage	778	Nett tonnage	380.

10-1907 sold for scrap to Holland.

104 ROTTERDAM (master Mr Howison)

Gross tonnage	757	Nett tonnage	557
Draft	4,27m		
Dimensions	65,58m x 8,24m x 5,39m		
Engine	paddles steamer, oscil 2cyl 55"-66", 220 NHP (1060 pk); 10 knots.		
Launched	1864	Entered service	1864
Builder	Messrs Simpson of London. Anchors and chains proved at a public machine (Lloyds Register 1865).		

1887 rebuilt as twin screw steamer; engine: Earle's Co. comp. 4cyl, 168 NHP; reboilered by Earle's Co. of Hull and converted to a cattle-carrier.

1887 renamed *Peterboro;* Lloyds Register 1899:

Gross tonnage	847	Nett tonnage 427
Deadweight	749	

1908 sold for scrap.

105 AVALON

Gross tonnage	670	Nett tonnage	478
Deadweight	571	Draft	4,27m
Dimensions	73,10m x 8,24m x 4,09m		
Engine	paddle steamer built by J & W Dudgeon; oscil 2 cyl, 54"-54", 220 NHP (1060 pk); 14 knots		
Launched	03-06-1864	Entered service	1865
Builder	Messrs J & W Dudgeon of Poplar (London).		

1876 new engines and boilers. 1888 sold to Earle's Co., Hull and not renamed. 1890 rebuilt as screw steamer by Earle's Co., Hull.

Lloyds Register	1909		
Gross tonnage	843	Nett tonnage	507

Engine Earle's Co, Hull, T3cyl 18", 27"& 46"-33". Before 1906 sold to T. Rasmussen, Norway, port of registry: Stavanger.

1909 wrecked on the coast of Jamaica.

106 RAVENSBURY (master R. Elward)

Gross tonnage 621

Dimensions 73,12m x 8,24m x 4,09m

Engine paddle steamer, oscil. compound 2cyl 54"-54", 220 NHP (=1000 ipk); 14 knots; draught 2,75m.

Builder Messrs J & W Dudgeon of Poplar (London).

Entered service 1865

22-12-1868 grounded near Slijkgat (Goeree) and refloated the next day; 05-01-1869 grounded again, outward bound from Rotterdam at high water at Schulpenplaat, next day refloated by herself. The third time was to be the last.

05-03-1870 sailed from Harwich, bound for Rotterdam and later that day grounded again at Schulpenplaat. Passengers disembarked. 06-03-1870 little moving of the ship but not refloated. 07-03-1870 the boiler fires were extinguished and three tugs with a barge arrived at the wreck to salvage the cargo and mail. 08-03-1870 the crew abandoned the ship. 09-03-1870 the tugs with barge, cargo and mail arrived at Den Briel and later Rotterdam. The ship broke into two pieces.

1971 (after 101 years) during dredging works at Maasvlakte, the wreck was found in the Hartelkanaal. The forepart was lifted and scrapped, but parts of the engines are still (1992) on the banks of Hartelkanaal and a part of the stern still remains in the canal bank.

107 GREAT YARMOUTH (master Mr Tyler)

Gross tonnage 731 Nett tonnage 491

Dimensions 60,92m x 8,64m x 5,19m

Engine single screw steamer built by R & W Hawthorn, Newcastle; comp. inverted, 2cyl, 25" & 48"-30"; 100 NHP; 10 knots

Launched 06-1866 Entered service 1866

Builder Jones Bros., London.

She had not enough accomodation for passengers. 1872 sold to T.G. Beatley, London/Harwich, not renamed. 1880 sold to R.B. Fenwick & J Reay, Harwich/Newcastle. 1881 grounded in the Gulf of Bothnia and later refloated. 09/1887 wrecked and total loss.

108 RICHARD YOUNG (master G. Rivers)

Gross tonnage 718 Nett tonnage 405

Deadweight 571

Dimensions 73,10m x 8,24m x 4,09m

Engine paddle steamer built by J & W Dudgeon, London, oscil 2cyl 54"-54" 950 pk; 14 knots.

Launched 1871 Entered service 03-1872

Builder Messrs J & W Dudgeon of Poplar (London).

Became famous as the first sea-going ship which passed through the New Rotterdam Waterway at the Hook of Holland on her maiden voyage. 03-1889 converted into a cattle-carrier.

1890 converted to screw steamer and reboilered by Earle's Co., Hull and after that renamed *Brandon.*

Lloyds Register 1899

Gross tonnage 668 Nett tonnage 305

Deadweight 582 Master S. Chilver

Engine Earle's Co., Hull, T3cyl 20½", 32" & 54"-33", 168 NHP.

1905 sold for scrap.

109 PACIFIC

Gross tonnage 712 Nett tonnage 515

Deadweight 507

Dimensions 71,80m x 8,08m x 3,48m

Engine paddle steamer built by C. Lungley, London, oscil. 2cyl 48"-54", 170 NHP; 10 knots.

Launched 1864

Builder C. Lungley, Deptford, London for unspecified owners. (before 1872 not mentioned in LR).

1872 bought by the Great Eastern Railway Co. and kept original name. This ship was cheaper in use than the *Avalon* and *Ravensbury,* used 20 tons of coal less per week and 2 seafarers less on board.

1887 sold for scrap.

110 CLAUD HAMILTON
(master G. Rivers – 1880)

Gross tonnage 962 Nett tonnage 565

Deadweight 677

Dimensions 76,71m x 9,20m x 4,14m

Engine paddle steamer built by J. Elder & Co., Glasgow, first compound/oscil. type of G.E.R., 2cyl 54" & 95"-63", 350 NHP (2000 ipk); 14 knots

Launched 03-06-1875

Builder John Elder & Co. Govan, Glasgow (187) (to be the first ship for G.E.R. built on the Clyde).

Maiden voyage 14-08-1875

The biggest ship of the company, named after the Chairman of G.E.R. She was the last paddle steamer of the G.E.R.-fleet. 1897 sold to the Corporation of the City of London and not renamed. Used between Gravesend and Deptford on the Thames as cattle-carrier. (LR 1905: b 972; master G. Harris).

07-1914 sold for scrap to Holland.

111 PRINCESS OF WALES
(master G. Rivers)

Gross tonnage 1098 Nett tonnage 648

Deadweight 798

Dimensions 80,95m x 9,25m x 4,32m

Engine paddle steamer built by London & Glasgow Co., Glasgow, simple oscil 2cyl, cyl length 68", stroke 84"; 2500 ipk; 15 knots

Capacity 580 passengers

Launched 02-02-1878

Builder London & Glasgow Eng. & Shipbuilding Co., Govan (Clyde). 3 masts.

Maiden voyage 06-07-1878

1894 replaced by ss *Berlin.* 16-05-1895 sold for scrap.

112 LADY TYLER (master W.S. Gray)

Gross tonnage	951 Nett tonnage 421
Deadweight	802
Dimensions	79,61m x 9,20m x 4,17m
Engine	paddle steamer built by R & W Hawthorn & Co, Newcastle, compound 6cyl (4 hp and 2 lp cyl) (2) 33" & (4) 44"-60"; 1400 hp; 13 knots
Capacity	700 passengers and fitted with electric light
Sea trials	04-05-1880
Builder	Messrs T & W Smith, North Shields.
Maiden voyage	29-05-1880

1893 sold to Earle's Shipyards Co., Hull and replaced by the *Chelmsford.* 1895 chartered to Mutual Line of Manx Steamers as competitors of the Isle of Man Steam Packet Co.

1897 renamed *Artemis* and remained as property of Earle's Co., Hull, (LR 1898: b 1010; n 558; d 568. 1900 in use as a coal-hulk at Gravesend and renamed *George Sandford,* unspecified owners. Remained there till 1955! after which she was sold for scrap.

113 ADELAIDE (master H. Shedlock)

Gross tonnage	927 Nett tonnage 441
Deadweight	757
Dimensions	79,30m x 9,84m x 3,97m
Engine	paddle steamer built by Barrow Shipbuilding Co. Ltd., Barrow, comp. oscil. 2cyl 45" & 87"-72"; 1600 hp; 14½ knots
Capacity	682 passengers
Launched	08-05-1880 by Mrs. Simpson , wife of one of the directors
Builder	Barrow Shipbuilding Co. Ltd., Barrow.
Maiden voyage	23-07-1880

This ship was the first completely built from steel and was the last driven by paddles, designed for the Continental services. 1896 sold to T.W. Ward and in 1897 sold again to J. Bannatyne & Sons for scrap. Replaced by ss *Amsterdam.*

114 NORWICH (master J.T. Henderson)

Gross tonnage	1037 Nett tonnage 437
Deadweight	816
Dimensions	79,30m x 9,53m x 4,58m
Engine	twin screw steamer built by Earle's Co., Hull, 2 sets of inverted diagonal compound machinery 2cyl 30" & 57"-36"; 2 boilers, 80 lb/inch²; 14½ knots.
Capacity	84 1st class / 42 2nd class passengers
Launched	06-03-1883
Builder	Earle's Shipbuilding & Engineering Co. (Ltd), Hull, formerly C&W Earle, (255)
Maiden voyage	24-07-1883 (under Captain Nickerson)

1897 new boilers placed. 1905 sold to Queenstown Dry Docks Sb. & E. Co. Ltd, port of registry: Harwich

Lloyds Register: 1908	
Gross tonnage	1352 Nett tonnage 707
Deadweight	707

1911 sold to J. Dos Santos Silva, Ilha do Fogo, Cape Verde Islands and renamed *Fortuna.* 1913 sold again to Continental Trading Co., New York, USA and renamed *Evelyn* for services from Montevideo to USA. 1915 sold to Cuneo Importing Co. Inc., New York, USA and renamed *Neptune.* 03-1921 sank.

115 IPSWICH (master J.H. Robinson) (sistership of *Norwich*)

Gross tonnage	1037 Nett tonnage 435
Deadweight	820
Dimensions	79,30m x 9,53m x 4,58m
Engine	twin screw steamer for further details see nr 114 *Norwich*
Launched	21-05-1883
Builder	Earle's S & E Co., Hull (256).
Maiden voyage	23-10-1883

1895 new boilers placed. 1905 sold to Joseph Constant, London, port of registry: Harwich; for services in British India. Lloyds Register 1908: sold to Shah Steam Navigation Co. of India Ltd, Harwich and still with the same name.

05-1909 sold for scrap.

116 CAMBRIDGE (master R.A. Henderson)

Gross tonnage	1160 Nett tonnage 519
Deadweight	906
Dimensions	85,53m x 9,46m x 4,63m
Engine	twin screw steamer built by Earle's Co., Hull, comp. 2x2cyl 30" & 57"-36"; 14½ knots
Capacity	730 passengers
Launched	11-10-1886
Builder	Earle's S & E Co., Hull (299)
Maiden voyage	12-02-1887
Route	Harwich – Antwerp. Later also to Hook of Holland and Rotterdam.

12-12-1911 collision with HMS *Salmon,* 2 died on board *Salmon* and the others rescued by *Cambridge.* 25-11-1912 sold to Anglo Ottoman Steamship Co. (Ltd) (managers D. Lambiri), Greece and not renamed. 1919 sold to Administration de Navire à Vapeur Ottomane, Galata, Constantinople, Turkey and renamed *Gul Nehad.* 1922 sold to Adm. de Nav. à Vapeur Turque (Seiri Sefain), Galata, Constantinople, Turkey and renamed *Gulnihal.*

1937 sold for scrap.

117 COLCHESTER (master W. Nickerson) (sistership of *Cambridge*)

Gross tonnage	1160 Nett tonnage 517
Deadweight	907
Dimensions	85,53m x 9,46m x 4,63m
Engine	twin screw steamer further details see nr 116 *Cambridge*
Capacity	730 passengers
Builder	Earle's Co., Hull (312)
Route	Harwich – Antwerp
Maiden voyage	27-02-1889

1900 rebuilt engineroom: 2 sets of T3 with 4cyl steam engines and was at that moment the only ship with T3 engines.

08-03-1916 in service Rotterdam – Tilbury (P.Q. was closed); 27-04-1916 with Captain Bennett, during the Rotterdam – Tilbury crossing, seized by the Germans and detained at Zeebrugge. The ship was captured there and the crew of 27 interned.

27-09-1916 torpedoed, when flying the German flag, by the Royal Navy. She was converted as mine-layer for the Baltic. After the war salvaged, towed back to England and scrapped.

118 CHELMSFORD (master J. Precious)

Gross tonnage	1635	Nett tonnage 596
Deadweight	1076	Draft 4,27m
Dimensions	91,60m x 10,50m x 4,93m	
Engine	Earle's Co., Hull, 2 x T3 4cyl 26", 39½", 61"-36"; 17½ knots; electric lights	
Capacity	Particular and new was 2 beds per cabin, but the design was similar to *Ipswich.* On board there was a dining and a ladies saloon, smoke and stateroom and cabins for 200 passengers; each cabin with a ventilator connected to fresh air.	
Launched	21-02-1893 by the Mayoress of Chelmsford	
Builder	Earle's S & E Co., Hull (367)	
Route	Harwich – Hook of Holland	
Maiden voyage	31-05-1893	

06-1910 sold to Great Western Railway and renamed *Bretonne,* she served the Plymouth – Nantes freight route. This route ceased on 30-09-1911, after which the *Bretonne* was sold to Greece and renamed *Esperia;* 1920 renamed *Syros.*

1933 sold for scrap.

119 BERLIN (master J.Precious)

Gross tonnage	1745	Nett tonnage 556
Deadweight	1131	
Dimensions	92,21m x 10,98m x 4,93m	
Engine	twin screw steamer built by Earle's Co., Hull, 2 x T3 4cyl 26", 39½", 61"-36"; 18 knots	
Launched	1894	
Builder	Earle's Shipyard (379)	

10-01-1894 first arrival. She replaced *Princess of Wales.* Lloyds Register 1905; Gross tonnage 1775.

20-02-1907 sailed PQ 2200 with 91 passengers and 52 crew on board, under command of captain J. Precious. The ship had rolled and pitched during the crossing. 21-02-1907 05.00 the passengers were already awake to prepare for disembarking. The Dutch pilot Brondes, Captain Precious and Chief Officer Morsley navigated the ship to the river entrance. When the *Berlin* passed the north mole, a heavy sea hit the port bow and swung her to the north. The northerly tide pushed the ship to the north and Captain Precious succeeded in turning the *Berlin.* She was then hit again by a heavy and high sea, which resulted in a grounding at the north mole. Several leaks sprung in ship's hull. Captain Precious' last effort to clear from this position was a double order on the telegraph 'full astern', without result. Shortly after the engines stopped and a 'black out' occurred. Chief Engineer Dennant came on the bridge and reported, that the boiler room was flooded and the fires extinguished. The ship's log: "06.35 *Berlin* grounded, heavy gale, tugs and lifeboats going out to assist. 08.25 position very dangerous, tried to get passengers off with tug and lifeboat, but have not succeeded". 09.30 *Berlin* broke in two, throwing passengers from the forward section into the icy water, only one of these was picked up alive. ss *Clacton,* en route for Rotterdam, arrived at the scene, she stood by for a time, but Captain Dale realised there was nothing they could do and so proceeded to Rotterdam. Ironically, serving on ss *Clacton* was AB-seaman Precious, son of Captain Precious. 10.26 the *Berlin* was declared total loss. Friday 22-02-1907 the gale ceased and the remaining survivors were rescued.

120 AMSTERDAM (master J. Chilver)

Gross tonnage	1745	Nett tonnage 556
Deadweight	1131	
Dimensions	92,21m x 10,98m x 4,93m	
Engine	twin screw steamer details as nr 119 *Berlin.* Consumption: 4 tons of coal/hour	
Launched	24-01-1894	
Builder	Earle's Shipyard, Hull (380).	
First arrival	Harwich 28-04-1894	
Maiden voyage	09-05-1894. She replaced the *Adelaide* nr 113.	
Crew	Captain + 2 nav. officers + 3 engineers + 3 petty officers + 1 steward + 20 AB Seamen + 10 firemen + 8 greasers and 1 pilot.	

23-01-1908, under command of Captain Richmond with 70 passengers and 50 crew on board, collided with ss *Axminster.* Passengers disembarked with boats and taken over by *Axminster. Amsterdam* steamed slowly to Hook of Holland and repairs at Rotterdam.

28-02-1913 first ship to use the new bunker machine at Parkeston.

10-1914 till 29-09-1919 requisitioned by the Royal Navy. 11-1919 again on the Hook-route.

12-1928 out of service and sold for scrap at Blyth.

121 VIENNA (master J.H. Robinson)

Gross tonnage	1753	Nett tonnage 550
Deadweight	1131	
Dimensions	92,21m x 10,98m x 4,93m	
Engine	twin screw steamer details as nr 119 *Berlin*	
Launched	18-07-1894	
Builder	Earle's Shipyard, Hull (387).	
11-10-1894	First arrival at Parkeston Quay. She replaced the *Claud Hamilton* nr 110.	
Maiden voyage	25-10-1894	

28/29-10-1908 took part in the search for ss *Yarmouth* but found only wreckage.

29-08-1914 till 12-12-1918 requisitioned by Royal Navy and renamed H.M.S. *Antwerp* and used against submarines.

1920 renamed by the G.E.R. *Roulers* and transferred to the Harwich – Zeebrugge service.

23-03-1930 sailed Parkeston Quay for the last time, heading for the breakers yard.

122 DRESDEN (master R.A. Henderson)

Gross tonnage	1805	Nett tonnage 496
Deadweight	1173	
Dimensions	92,14m x 11,62m x 4,96m	
Engine	twin screw steamer built by Earle's Co., Hull, 2 x T3 4cyl 26", 39½" & 63"-36"; abt 5000 hp; 18 knots. During trials 19 knots	
Launched	17-11-1896	
Builder	Earle's Shipyard, Hull (410), for the price of £63,750.	
Maiden voyage	29-06-1897 to Antwerp	

She was the last G.E.R. ship built by Earle's Co. at Hull. Originally equipped with Navy-funnel tops, later

replaced by a new design, which became typical for the Great Eastern.

10-1913 disappearance of Dr. Rudolf Diesel, inventor of the diesel engine, from the ship during the night crossing from Hook of Holland to Harwich.

31-10-1914 requisitioned and renamed H.M.S. *Louvain* by the Royal Navy.

20-01-1918 sunk after an attack by German submarine UC 22 in the Eastern Mediterrenean.

G.E. Langmuir

123 CROMER (master W. Lucas)

Gross tonnage	812	Nett tonnage	253
Deadweight	706		
Dimensions	74,80m x 9,48m x 4,65m		
Engine	twin screw steamer built by Gourlay Bros. & Co., Dundee, 2 x T3 4cyl 15½", 25¼" & 41"-36"; 13½ knots; electric lights		
Launched	22-02-1902 by Miss A. Howard		
Builder	Gourlay's Yard , Dundee, (201); building costs £37,498.00		

Maiden voyage 22-04-1902 to Rotterdam.

Crew: capt + 2 nav. officers + 2 engineers + 2 petty officers + 3 stewards + 8 AB Seamen + 9 firemen. Cargoholds for about 450 tons and 86 head of cattle

She was the first freighter built for the G.E.R.

30-08-1934 sailed Parkeston Quay under tow of tug *Rozenburg* to Rotterdam breakers.

124 BRUSSELS (master J. Redwood)

Gross tonnage	1380	Nett tonnage	523
Deadweight	950		
Dimensions	87,00m x 10,37m x 4,73m		
Engine	twin screw steamer built by Gourlay Bros. & Co., Dundee, 2 x T3 4cyl 20", 33" & 54"-36"; 16 knots; electric lights		
Launched	25-03-1902 by Miss Drury		
Builder	Gourlay Bros. & Co., Dundee, (202), for the price of £63,700		

Maiden voyage 19-06-1902 to Antwerp

First purpose built ship for the Antwerp service. This ship became famous through heroic actions of Captain Fryatt during the Great War. 28-03-1915 collided with the German submarine U 33 after an attack near Hook of Holland; 23-06-1916 captured by the Germans and seized at Zeebrugge – Captain Fryatt was arrested and later shot.

14-10-1917 scuttled in the entrance of Zeebrugge harbour during an attack by the Dover Patrol. 14-10-1919 the *Brussels* was raised. 08-1920 sold by G.E.R. for £3100 and finished her career as *Lady Brussels* on the west coast, between Liverpool and Dublin, as a cattle carrier

05-1929 sold for scrap to Port Glasgow.

125 YARMOUTH (master T. Stiff)

Gross tonnage	806	Nett tonnage	218
Deadweight	702		
Dimensions	74,80m x 9,48m x 4,65m		
Engine	twin screw steamer built by Gourlay Bros & Co., Dundee; 2 x T3 4cyl, 15½", 25¼" & 41"-36"; 14 knots		
Launched	1903		
Builder	Gourlay Bros & Co., Dundee (208)		

Was last seen on the night of 27-10-1908 by the crew of Outer Gabbard Lightvessel, with a heavy list. Searched for by H.M.S. *Blake* and *Vienna*. One dead body was found, 21 crew and 1 passenger lost. Caxton Hall Inquiry provided that the ship went down due to heavy loads on deck. The insurance paid £5949.

126 CLACTON (master F. Lazell)

Gross tonnage	820	Nett tonnage	209
Deadweight	702		
Dimensions	74,73m x 9,48m x 4,63m		
Engine	twin screw steamer built by Earle's Co., Hull, 2 x T3 4cyl 15½", 25¼" & 41"-36"; 14 knots		
Launched	28-11-1904		
Builder	Earle's Co., Hull (488)		

Maiden voyage 07-02-1905

23-08-1906 grounded at the south mole at Hook of Holland during efforts to refloat the *Amsterdam*, which was grounded on the north mole, but refloated the same day.

07-10-1914 requisitioned and became a minesweeper. 22-10-1917 torpedoed in the Eastern Mediterranean by the German U 73, when attempting to protect H.M.S. *Grafton*.

G.E. Langmuir

127 NEWMARKET (master G. Fryatt)

Gross tonnage	833	Nett tonnage	192
Deadweight	721		
Dimensions	74,73m x 9,48m x 4,63m		
Engine	twin screw steamer built by Earle's Co., Hull, 2 x T3 4cyl 15½", 25¼" & 41"-36"; 14 knots		
Launched	11-07-1907		
Builder	Earle's Co., Hull (534)		

Entered service 08-1907

08-10-1914 requisitioned as a minesweeper

16-07-1916 sunk in war service in the Dardanelles, Turkey.

G.E. Langmuir

128 COPENHAGEN (master L. Richmond)

Gross tonnage	2570	Nett tonnage	780
Deadweight	1498		
Dimensions	104,60m x 13,17m x 5,39m		
Engine	triple screw steamer built by John Brown & Co. Ltd, Clydebank, 3 Parsons turbines, direct drive, 5 boilers; 10.000 hp; 20 knots.		
Capacity	320 1st class cabin passengers, 130 2nd class cabin passengers		
Launched	22-10-1907 by Miss Ida Hamilton		
Builder	John Brown & Co. Ltd, Clydebank,(380)		

First arrival Parkeston on 24-01-1907

Maiden voyage 27-01-1907

Fitted out with wireless radio equipment. Interior made from mahogany and maplewood, dressed with crimson curtains. All cabins from passengers and crew fitted with telephone! 10-1914 in use as a hospital ship for the Admiralty. In 1916 in use as a hospital. 17-03-1917 sunk by torpedo in the North Sea, 5 lost.

129 MUNICH

Gross tonnage	2410	Nett tonnage	1019
Deadweight	1503		
Dimensions	104,60m x 13,17m x 5,39m		
Engine	triple screw steamer as detailed on *Copenhagen* nr 128		
Capacity	as nr 128.		
Launched	26-08-1908 by Miss Lawson, daughter of company director		
Builder	John Brown & Co. Ltd,Clydebank (384)		

Maiden voyage 16-11-1908

12-10-1914 Requisitioned by the Admiralty and used as a hospitalship and trooper till the end of 1915. 1916 renamed *St. Denis* by the G.E.R. and joined the route Harwich – Hook of Holland again. After 1930 employed on Harwich – Zeebrugge service in the summer only.

10-05-1940 sailed Parkeston for Rotterdam to evacuate British subjects. 10-05-1940 scuttled by the crew in Rotterdam. Later raised by the Germans and used as a training vessel, renamed *Barbara,* later renamed *Schiff 52* and in use as auxiliary minesweeper.

1945 L.N.E.R. received her back in Kiel, Germany, and at the same time on hire to the local authorities as temporary shelter for homeless persons, later for students of the local university. 02-1950 towed back to England and scrapped at Sunderland.

130 ST. PETERSBURG (master W. Dale)

Gross tonnage	2448	Nett tonnage	1039
Deadweight	1502		
Dimensions	104,60m x 13,17m x 5,39m		
Engine	triple screw steamer as detailed for *Copenhagen* nr 128		
Launched	25-04-1910 by Miss Green		
Builder	John Brown & Co.Ltd,Clydebank(397)		

07-1910 arrived for the first time at Parkeston Quay

Maiden voyage 07-07-1910

04-08-1914 Britain and Germany declare war. On this day the German Ambassador in London with his staff of 120 persons travelled by a special train from London Liverpool Street Station to Harwich and embarked on board the *St. Petersburg* for the crossing to Hook of Holland. 12-10-1914 requisitioned for use as hospital ship. 18-10-1919 delivered back to G.E.R. and from November took up the Hook service again after rename to *Archangel.* After 1930 employed on Harwich -Zeebrugge service in the summer only. 10-12-1939 seized again and used as trooper between Southampton and Le Havre/Cherbourg

16-05-1941 bombed during the voyage from Kirkwall to Aberdeen with troops. Heavily damaged on tow and grounded; 17 lives lost.

131 STOCKHOLM

This ship, built as a sistership to *Copenhagen, Munich* and *St. Petersburg,* was sold at the yard. Twin screw steamer.

27-02-1917 the Admiralty seized the ship under construction.

Launched 09-06-1917 as *Stockholm;* Builder John Brown & Co. Ltd., Clydebank, (431), originally for the Great Eastern Railway Co.

28-08-1917 renamed *Pegasus* and finished as an aircraft carrier.

08-1931 sold for scrap to Thos.W. Ward Ltd, Morecambe.

132 FELIXSTOWE

Gross tonnage	892	Nett tonnage	354
Deadweight	754		
Dimensions	65,60m x 10,12m x 7,09m		
Engine	single screw steamer built by Hawthorns & Co Ltd, Leith, T3cyl reciprocating machinery 21", 33" & 54"-36"; 12 knots		
Builder	1918 Hawthorns & Co.Ltd,Leith (147)		

Entered service 04-1919 on the Rotterdam service

Bought for £70,049 on stocks and originally named *St. Nicholas,* but renamed *Felixstowe* by G.E.R.

1935 passed into the management of Associated Humber Lines and maintained the Harwich service.

03-08-1941 requisitioned by the Admiralty (Ministry of War Transport) and in 1942 renamed H.M.S. *Colchester.* In use for wreck removal at Harwich. 10-09-1946 delivered back to the L.N.E.R. and named again *Felixstowe.* 1948 moved to the Weymouth – Channel Islands route (Western Region), later moved to Stranraer – Larne route. End 1950 sold to the Limerick Steamship Co. Ltd., Limerick, Ireland. 10-02-1951 sailed Parkeston Quay for the last time, heading for Emden (Germany) for dry docking and renaming to *Kylemore.*

22-11-1957 arrived for scrap at Hendrik Ido Ambacht, Holland, at the breakers yard of N.V. Holland.

133 KILKENNY/FRINTON

Gross tonnage	1361
Dimensions	82,22m x 11,03m x 4,96m
Engine	single screw steamer, T3cyl 26", 43" & 69"-42", 309 NHP, 15 knots

Launched	1903
Builder	Clyde Shipbuilding & Engineering Co. Ltd., Port Glasgow (254), originally for City of Dublin Steam Packet Co., Liverpool, (later known as B & I Lines) as *Kilkenny*
Route	Liverpool – Dublin

1917 bought by G.E.R., but kept their own route.

15-05-1919 grounded in Knockadoon Bay, west of Youghal, during voyage from Liverpool to Cork in service of War Department. Repaired and 06-11-1919 renamed *Frinton* and entered service Harwich – Antwerp and Rotterdam, together with *Roulers, Marylebone* and *Woodcock.* 29-07-1929 sold to Greece to Inglessi Bros. and came in service between Piraeus and Brindisi, is not renamed. Later renamed *Samos* and owned by Samos Steam Nav. Co., service Venice and Ionian Islands. Later named *Frinton* again.

1941 lost by war action in Greek waters.

G.E. Langmuir

134 ST. GEORGE

Gross tonnage	2676
Dimensions	107,36m x 12,53m x 4,93m
Engine	triple screw steamer, 3 turbines (Parsons); 8 single ended boilers; 10.000 hp; 22½ knots
Builder	Cammell Laird & Co. Ltd., Birkenhead (665), originally for Fishguard & Rosslare Railways & Harbours Co., a subsidiary of the Great Western Railway Co.
Launched	13-01-1906

05-1913 sold to Canadian Pacific Railway and not renamed. Towed across the Atlantic Ocean for St. John – Digby service across the Bay of Fundy.

1915 returned to England and in use as hospital ship with 278 beds.

06-1919 sold to G.E.R. and refurbished. Accomodation for 500 passengers. 16-07-1929 last call at the Hook and sailed to Harwich. 16-10-1929 sailed Parkeston Quay for the breakers yard and scrapped by Hughes Bolckow Shipbreaking Co., Blyth.

135 ANTWERP

Gross tonnage	2957	Nett tonnage	1285
Deadweight	2373	Draft	4,07m
Dimensions	98,06m x 13,14m x 5,44m		
Engine	twin screw steamer built by John Brown & Co. Ltd., Clydebank, 4 turbines of 12.500 hp; 21 knots		
Launched	25-10-1919 by Lady Blythwood		
Builder	John Brown & Co. Ltd., Clydebank, (493). Sistership *Bruges.* Crew 60		
Entered service	06-1920		
Route	Harwich–Antwerp		

Originally built for the Antwerp route, but occasionally made trips on the Hook of Holland route.

28-06-1928 ship fitted with gramophones; 1939 as hotel ship at Parkeston Quay for Royal Navy personnel.

20-06-1940 arrived at St. Peter Port for the evacuation of the Channel Islands. 1941 rebuilt as escort ship and left Avonmouth for the Mediterranean. *Antwerp* was headquarters of Eastern Naval Task Force during the invasion of Sicily in 07-1943.

1945 redelivered to L.N.E.R., came into service as B.A.O.R.-ship on the Harwich – Hook of Holland route.

19-09-1945 First trip ex Harwich; last trip ex Hook 01-05-1950. Laid up on the buoys of Parkeston Quay awaiting sale. 26-04-1951 sailed Parkeston Quay in tow to the breakers. Scrapped at Milford Haven by T.W. Ward Bros.

136 BRUGES

Gross tonnage	2949	Draft	4,07m
Dimensions	98,06m x 13,14m x 5,44m		
Engine	twin screw steamer, as detailed nr 135 *Antwerp.*		
Launched	20-03-1920		
Builder	John Brown & Co. Ltd,Clydebank (494)		
Route	Originally built for the Antwerp route, but made trips on the Hook of Holland route occasionally.		

27-09-1920 arrived Parkeston Quay 1st time. 05-07-1921 in service on the "summer only" route Harwich – Zeebrugge. 28-06-1928 fitted with gramophones.

09-09-1939 requisitioned by the Royal Navy and used as trooper between Southampton and Le Havre/ Cherbourg. Painted grey.

11-06-1940 bombed and sunk on the roads of Le Havre and 26-06-1940 declared total loss. Crew survived.

137 MALINES

Gross tonnage	2969	Nett tonnage	1262
Deadweight	2384	Draft	4,07m
Dimensions	97,78m x 13,14m x 5,44m		
Engine	twin screw steamer built by Wallsend Slipway & Engineering Co. Ltd., Newcastle, turbines Brown/Curtis geared, 12.500 hp; 21½ knots.		
Launched	06-01-1921		
Builder	High Walker Yard of Armstrong Whitworth & Co. Ltd., Newcastle (972)		
Sea trials	09-03-1921 – was the last ship delivered to the G.E.R.		
17-03-1921	1st arrival Parkeston Quay		
Entered service	21-03-1921		
Route	built for the Antwerp route, but made trips on the Hook of Holland route occasionally		

Friday 08-07-1932 at anchor in the Schelde, next day collided at anchor with the German *Hanseat*. Heavily damaged, lifted anchor and grounded near Hoedekenskerke. Temporarily repaired and towed by six tugs to Antwerp for drydocking. 10-05-1940 sailed to Rotterdam for the evacuation of British civilians, including the crew of *St. Denis* (nr 129) and escaped from Hook of Holland. 22-07-1942 bombed by aircraft and grounded near Port Said (Egypt); 09-1943 salvaged, repaired and in service again; 1944 in use as training vessel in Kabret; end 1944 under management of General Steam Nav.Co.;

11-1945 arrived at the Tyne after a voyage under tow of 6 months

24-04-1948 sold for scrap to Clayton & Davies Ltd. at Dunston.

138 SHERINGHAM

Gross tonnage 1088 — Nett tonnage 429
Deadweight 950 — Draft 4,47m
Dimensions 78,08m x 11,01m x 4,96m
Engine: single screw steamer built by Earle's Co. Ltd., Hull, T3cyl 22", 35" & 60"-39", coal fired; 14 knots
Launched 1926
Builder: Earle's Co. Ltd., Hull (669). The last ship built by this yard for L.N.E.R.
Entered service 15-09-1926
Route: Harwich – Rotterdam

06-1940 in use during evacuation of the Channel Islands. Mostly in service during Second World War between Preston and Northern Ireland. 23-03-1946 first trip postwar Harwich – Rotterdam.

25-10-1958 arrived Parkeston Quay for the last time. 13-12-1958 sailed under tow to Belgium for scrap.

139 VIENNA

Gross tonnage 4227 — Nett tonnage 1985
Deadweight 3028 — Draft 4,65m
Dimensions 107,06m x 15,25m x 7,93m
Engine: twin screw steamer built by John Brown & Co. Ltd, Clydebank, turbines, Brown/ Curtis geared, 5 boilers; 21 knots
Capacity 444 1st class / 104 2nd class passengers
Launched 10-04-1929
Builder: John Brown & Co. Ltd, Clydebank (527)
15-07-1929 Entered service
Route: Harwich–Hook of Holland

Designed by FW Noal and Capt. R Davies (Marine Superintendents). The first ferry with shop on board

1932 started cruising. In 1936, after of few years of experience with these cruises, the boat deck was extended to the aft-well to provide more sheltered space. This work was done at Parkeston Quay by the Marine Workshops. Last time at Hook of Holland prewar was 24-08-1939.

1940 requisitioned by Royal Navy. During the war in use as trooper. In service of the Ministry of War Transport from 1945 till 1960 as trooper between Harwich and Hook of Holland. First trip from Harwich to Hook of Holland on 01-08-1945. On 11-02-1952 boiler explosion, 2 killed; 02-07-1960 last arrival Parkeston Quay; 02-09-1960 sailed Parkeston Quay, under tow of tug *Merchantman* to Gent (Belgium)

04-09-1960 arrived Gent, scrapped by van Heyghen Frères.

G. Monteny

140 PRAGUE

Gross tonnage 4220 — Nett tonnage 1988
Deadweight 3028 — Draft 4,27m
Dimensions 107,04m x 15,25m x 7,93m
Engine: twin screw steamer as detailed for *Vienna* nr 139
Launched 18-11-1929
Builder: John Brown & Co. Ltd, Clydebank (528)
Route: Harwich–Hook of Holland

01-09-1939 last sailing from Hook of Holland prewar.

17-12-1939 seized by the Royal Navy; in use as trooper and hospital ship and completed 57 trips in dangerous circumstances. Wednesday 14-11-1945, 22.00 hours, sailed as first ship on the re-opened service to Hook of Holland (3 x per week); last sailing from Hook of Holland on 24-12-1947 (actually she was delayed and left 25-12-1947 about 02.15 hrs). Replaced by *Oranje Nassau*, she left the service for an overhaul at Clydebank. 14-03-1948 a fire broke out in the engine room, followed by an explosion. After that the ship listed to the quayside and sank. Declared total loss.

14-09-1948 arrived in Barrow for scrap.

141 AMSTERDAM

Gross tonnage 4218
Dimensions 107,04m x 15,25m 7,93m
Engine: twin screw steamer as detailed for *Vienna* nr 139
Capacity 246 1st class / 110 2nd class passengers
Launched 13-01-1930
Builder: John Brown & Co. Ltd, Clydebank (529)
Maiden voyage 26-04-1930
31-08-1939 last trip sailed Hook of Holland

05-09-1939 requisitioned by the Royal Navy and in use as trooper. This ship was the last merchant ship that left Le Havre, before the enemy blew up the town; 06-1944 rebuilt as hospital ship; 07-08-1944 mined on the second trip as hospital ship near the French coast with heavy loss of life.

142 DEWSBURY

Gross tonnage 1686 — Nett tonnage 907
Deadweight 1102 — Draft 5,29m
Dimensions 80,83m x 10,99m x 5,64m
Engine: single screw steamer built by Earle's Co.Ltd., Hull, T3cyl, 22", 35" & 60"-42"; 13 knots
Capacity 32 crew, 456 passengers
Launched 14-04-1910;
Builder: Earle's Co.Ltd., Hull (564), originally built for the Great Central Railway Co., service Grimsby – Hamburg.
Entered service 17-06-1910

11-11-1918 till 07-11-1919 used by G.E.R. as trooper

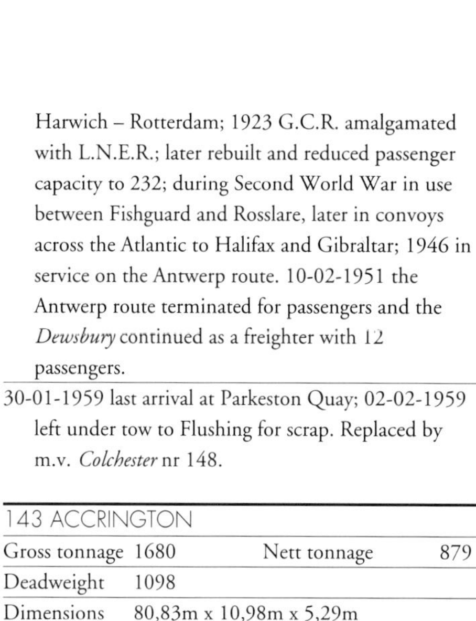

Harwich – Rotterdam; 1923 G.C.R. amalgamated with L.N.E.R.; later rebuilt and reduced passenger capacity to 232; during Second World War in use between Fishguard and Rosslare, later in convoys across the Atlantic to Halifax and Gibraltar; 1946 in service on the Antwerp route. 10-02-1951 the Antwerp route terminated for passengers and the *Dewsbury* continued as a freighter with 12 passengers.

30-01-1959 last arrival at Parkeston Quay; 02-02-1959 left under tow to Flushing for scrap. Replaced by m.v. *Colchester* nr 148.

143 ACCRINGTON

Gross tonnage	1680 — Nett tonnage 879
Deadweight	1098
Dimensions	80,83m x 10,98m x 5,29m
Engine	twin screw steamer built by Earle's Co. Ltd., Hull, T3cyl 22", 35" & 60"-42"; 2 boilers; 13 knots
Launched	07-06-1910 — Entered service 08-1910
Builder	Earle's Co. Ltd., Hull (565), originally for the Great Central Railway Co., Grimsby – Hamburg service

11-11-1918 till 07-11-1919 used by G.E.R. as trooper Harwich – Rotterdam; 1923 owned by L.N.E.R.; this ship and the *Dewsbury* became famous for their luxury interiors with a 'stateroom' and a 'Ladies Lounge', finished with a writing table and a book case in mahogany etc.

1946 in service on the Antwerp route. 01-02-1951 passenger services to Antwerp ceased and the *Accrington* was laid-up for sale; 30-04-1951 sailed Parkeston Quay; 05-1951 arrived at Dunston for scrap.

144 ARNHEM

Gross tonnage	4891 — Nett tonnage 2450
Dimensions	110,0m x 16,60m x 8,24m
Engine	twin screw steamer built by John Brown & Co. Ltd., Clydebank; 2 sets Parsons direct geared turbines; 2 oilburned watertube boilers type Yarrow with 3 drums; 12480 hp; 21 knots
Capacity	675 passengers including 576 in berths
Launched	07-11-1946
Builder	John Brown & Co. Ltd., Clydebank (636) as the last ship for the L.N.E.R.
Maiden voyage	26-05-1947

The ship was named after the town of Arnhem, where in Sept. 1944 the 1st Airborne Division resisted the German Army. During March, April and the first half of May 1954 she was converted to 2-class vessel.

Lloyds Register	1963
Gross tonnage	5008 — Nett tonnage 2538
Deadweight	1139

27-04-1968 last call at Hook of Holland and laid up; 13-08-1968 sailed Parkeston Quay; 16-08-1968 arrived Inverkeithing; sold to T.W. Ward Ltd. for scrap, which started 06-1969.

Ferry Publications Library

145 DUKE OF YORK

Gross tonnage	4325 — Nett tonnage 1980
	Draft 4,47m
Dimensions	103,45m x 15,91m x 5,41m
Engine	twin screw steamer built by Harland & Wolff Ltd, Belfast; 2 sets of turbines; 22 knots
Launched	07-03-1935 — Entered service 06-1935
Builder	Harland & Wolff Ltd., Belfast (951), originally built for London, Midland & Scottish Railway, port of registry: Lancaster
Route	Heysham – Belfast

During World War Two renamed HMS *Duke of Wellington* in Admiralty service. First trip from Harwich as trooper on 31-07-1945; last sailing from Hook of Holland as trooper on 14-11-1946;

10-1947 back in service in the Irish Sea; 31-05-1948 in use between Harwich and Hook of Holland and replaced *St. Andrew* and *Oranje Nassau*. In the summer of 1950 used by the Southern Region between Southampton and Cherbourg; during the winter 1950/1951 she had a major survey and a conversion at Harland & Wolff shipyards at Belfast, 2 funnels replaced by 1, boilers rebuilt from coal burning to oil burning, new extended capacity of 675 pass.; during the summer of 1951 used from Holyhead and later that year back in Harwich.

06-05-1953 collided with *Haiti Victory* during the crossing from Hook of Holland to Harwich. Ordered to abandon the ship, because she had lost the complete bow section. Towed to Harwich. Repaired with a new bow section; re-entered service 25-01-1954 Harwich – Hook of Holland; 2,14m longer; 19-07-1963 last call at the Hook and sold to Chandris Line of Greece, renamed *York*. Sailed for Newcastle and rebuilt as cruise liner by Smith Dock.

15-3-1964 Maiden voyage from Venice as *Fantasia*.

1975 sold for scrap to Prodronos Sariktzis, Piraeus, Greece. 5-1976 scrapped.

146 AMSTERDAM

Gross tonnage	5092	Nett tonnage	2633
Deadweight	1113		
Dimensions	109,98m x 15,91m x 7,73m		
Engine	twin screw steamer built by John Brown & Co. Ltd., Clydebank, 2 sets of turbines and 2 water tube boilers; 21 knots		
Capacity	321 1st class and 236 2nd class berths, total 675		
Launched	19-01-1950		
Builder	John Brown & Co. Ltd, Clydebank (659)		
Entered service	29-05-1950 under command of Captain C. Baxter		
Route	Harwich–Hook of Holland		
Maiden voyage	10-06-1950 to the Hook		

07-11-1968 last voyage in day service, laid up; 01-05-1969 sailed P.Q. for Piraeus for transversion as a cruise liner; 13-05-1970 renamed *Fiorita* by owner Chandris Line.

09-05-1979 / 03-1983 laid up. 04-1983 sold to Ef-Em Handels GmbH, München, Germany and directly resold to Sommerland Handels GmbH.

05-04-1983 arrived Kas (SW Turkey) and in use as hotelship.

1987 sunk at the same place in Fethiye Port, SW Turkey. Small parts are still visible.

G. Monteny

147 ISLE OF ELY

Gross tonnage	866	Nett tonnage	278
Deadweight	935	Draft	4,02m
Dimensions	73,76m x 11,44m		
Engine	motorship built by Ruston & Hornsby, Lincoln, 8cyl 4sa diesel; 13½ knots		
Builder	Goole Shipbuilding & Repair Co. Ltd., Goole (512)		
Entered service	27-10-1958 (Maiden voyage)		

Open shelter deck container ship; regularly used on the Rotterdam route; 1968 rebuilt as full containership, gross tonnage 1059; 1969 in service Holyhead – Dublin; 1972 Heysham – Belfast and Southampton – Channel Islands; 1973 Fishguard – Waterford; 1975 2 trips Harwich – Dunkirk; 11-1975 laid up for sale in Barrow; 1978 sold and renamed *Spice Island;* 1979 renamed *Spice Island Girl;*

29-03-1982 laid up at Portsmouth; 09-1984 sold for scrap to Brugge (Belgium).

148 COLCHESTER

Gross tonnage	866	Nett tonnage	278
Deadweight	935	Draft	4,02m
Dimensions	73,76m x 11,44m		
Engine	motorship as detailed nr 147		
Builder	Goole Shipbuilding & Repair Co. Ltd., Goole (513)		
Entered service	21-01-1959		
Route	regularly used on the Rotterdam route		

Designed for general cargo, 1968 altered to a full container ship and after that in use between Weymouth and the Channel Islands. 1969 lengthened at Troon by 16.48m and returned to Harwich for the route to Zeebrugge. 1973 used in the Irish Sea between Holyhead and Dublin and Heysham – Belfast. 23-11-1973 chartered by Mc Andrew and used between Liverpool and Portugal and Spain. 03-1974 on charter to James Fisher, engine room fire suffered during bunkering. Repaired and laid up at Holyhead.

1975 sold to Cyprus and renamed *Taurus II.* 1979 renamed *Gloriana.* 1984 renamed *Sea Wave* and later renamed *Taurus* and in 1990 still in service.

Ferry Publications Library

149 AVALON

Gross tonnage	6584	Nett tonnage	3542
Deadweight	842	Draft	4,82m
Dimensions	113,46m x 18,20m x 8,85m		
Engine	twin screw steamer built by A. Stephen & Sons Ltd., Glasgow, 2 sets of turbines and 2 watertube boilers; 15000 hp; 21 knots; 750 passengers.		
Launched	07-05-1963 without a christening ceremony		
Builder	Alexander Stephen & Sons Ltd., Glasgow (680)		

07-1963 arrived P.Q., christened there by Dr. Beeching, Chairman of British Railways, just after the centennial date of the route Harwich – Rotterdam to the first ship on this route. *Avalon* was at that moment the biggest vessel in the B.R. fleet, and the first full air-conditioned ship, equipped with stabilizers

04-1964 first cruise (weekend to Amsterdam); between 1964 and 1974 several cruises are made, eg. to North Cape, Leningrad and Casablanca. Christmas 1974 ended the service on the Hook route and left P.Q. to be rebuilt as ro/ro-vessel and survey at Swan Hunter Shipyard. As ro/ro vessel used between Fishguard–Rosslare and Holyhead–Dun Loaghaire.

1981 sold for scrap to Pakistan (Gadani Beach). For the last voyage renamed *Valon,* she sailed under her own power for the long journey to the breakers yard.

150 SEAFREIGHTLINER I

Gross tonnage	4043 — Nett tonnage 2108
Deadweight	3295 — Draft 4,42m
Dimensions	111,56m x 16,79m x 6,10m
Engine	twin screw motorship built by Mirrlees National Ltd, Stockport, 2 x 6cyl 4sa diesels; 4200 hp; full containership; 13½ knots
Capacity	110 30' containers + 38 containers on deck
Builder	J. Readhead & Sons Ltd., South Shields (621)
Entered service	12-05-1968
Routes	Harwich – Zeebrugge and Harwich – Rotterdam

Maiden voyage 17-05-1968 to Zeebrugge

30-07-1986 towed from P.Q. to River Blackwater and laid up;

09-02-1987 sailed to Falmouth (stores and bunkers); sailed to Naples (Italy); loaded there with electrical cables for China; 30-03-1987 sailed Colombo;

04-05-1987 arrived Kaohsiung (Taiwan) for scrap.

151 SEAFREIGHTLINER II

Gross tonnage	4034 — Nett tonnage 2108
Deadweight	3265 — Draft 4,42m
Dimensions	111,56m x 16,79m x 6,10m
Engine	twin screw motorship as detailed nr 150
Launched	15-03-1968 by Mr. J.L. Harrington
Builder	J. Readhead & Sons Ltd., South Shields (622)
Entered service	03-06-1968
Routes	See nr 150

24-06-1968 Maiden voyage and inaugural journey Harwich – Rotterdam as full container line;

01-08-1986 towed from P.Q. to River Blackwater and laid up;

26-09-1986 sailed to Tilbury for a load of empty containers to Naples (Italy); 29-09-1986 sailed Tilbury; 08-10-1986 sailed Naples with a load pipelines for scrap; 02-01-1987 arrived Karachi (Pakistan) and beached on arrival. Demolition started before the crew had left the ship!

Ferry Publications Library

152 ST. GEORGE

Gross tonnage	7356 — Nett tonnage 3869
Deadweight	1036 — Draft 5,03m
Dimensions	115,22m x 20,60m x 12,12m
Engine	twin screw motorship built by Ruston & Hornsby, 4 x 9cyl 2sa diesels, 18000 hp; 21 knots
Capacity	1200 passengers – 560 berths/640 deck
Launched	28-02-1968 by Mrs. H. Johnson, wife of the new Chairman of B.R.
Builder	Swan Hunter & Tyneside Shipbuilders, Tyneside (2029)
Entered service	13-07-1968;
Route	Harwich–Hook of Holland

Maiden voyage 17-07-1968 to Hook of Holland

Ship was the first ro/ro passenger ferry of the B.R. fleet in Harwich; This ship had made exactly 3814 trips (7628 crossings) to the Netherlands, before she ceased service

05-06-1983 last sailing from Hook of Holland.

1984 Sold to Ventouris Line (Greece) renamed *Patria Express* for service between Patras and Bari in 03-85. Re-engined and sold to Sea Escapes in 03-90. Renamed *Scandinavian Sky II* then *Scandinavian Dawn.* In service on Florida cruises.

153 ST. EDMUND

Gross tonnage	8987 — Nett tonnage 4697
Deadweight	1830 — Draft 5,20m
Dimensions	119,51m x 22,64m x 12,86m
Engine	twin screw motorship built by Stork Werkspoor, Amsterdam, 4 x 8cyl 4sa diesels, type TM 410; 20400 hp; 21 knots
Capacity	1400 passengers – 671 berths/729 deck
Launched	14-11-1973 by Mrs Caroline Marsh, wife of B.R. Chairman
Builder	Cammell Laird Shipbuilders Ltd., Birkenhead (1361)
Owned by	Passtruck (Shipping) Co. Ltd., London (subsidiary of B.R.)
24-12-1974	First arrival Parkeston Quay
Route	Harwich–Hook of Holland

Maiden voyage 19-01-1975 to Hook of Holland

12-05-1982 requisitioned by the Admiralty for use as a troop ship between United Kingdom/Ascension and the Falkland Islands, during the crisis with Argentina; 20-05-1982 sailed from Devonport to Ascension, under command of Captain M. Stockman and Chief Engineer J. Fletton; the *St. Edmund* transported General Menendez with 1500 troops back to Argentina; in Port Stanley Prince Andrew used the SATCOM telephone for contact with Buckingham Palace, just after the birth of Prince William. The ship was a ferry between Port Stanley and Ascension Island and as a hotel ship at Port Stanley; she gained the nickname: 'The Stanley Hilton', because of the good meals, accommodation and hospitality.

28-02-1983 back in England for a survey at Wallsend. Sold by Sealink (UK) Ltd to Ministry of Defence, renamed HMS *Keren* and retained on the Falkland – Ascension supply link under the management of Blue Star.

1985 sold to Cenargo Navigation Ltd., renamed *Scirocco* and returned to ferry work in the Mediterranean in the summer of 1986. She served several services there until the end of 1988.

21-02-1989 entered service between Poole and the Channel Islands for British Channel Island Ferries as a long term charter from Cenargo Navigation Ltd. and renamed *Rozel,* registration Bahamas.

154 ST. NICHOLAS

Gross tonnage	17043	Nett tonnage	7859
		Draft	6,10m
Dimensions	149m x 26m		
Engine	twin screw motorship, Wärtsila, 4 x diesels; 15360 hp; 20, 4 knots		
Capacity	2100 passengers – 1061 berths; 480 cars		
Originally named: *Prinsessan Birgitta*			
Builder	Arendalsvarvet Shipyard in Gothenburg (Sweden) (909) and taken over by Stena Line during construction; originally ordered by Sessan Line in 01-1979; completed 12-1981		
Maiden voyage	03-06-1982 between Gothenburg and Frederikshavn		

Until 28-02-1983; chartered by Sealink (UK) Ltd after refitting at the Cityvarvet Shipyard in Gothenburg, she was renamed *St. Nicholas;*

10-06-1983 maiden voyage to Hook of Holland; 1987 property of Finance Ltd, Squarehorn Ltd, Elstree Platform Ltd and A. Moir & Co Ltd in the United Kingdom. 1988 Bahamas registration; 1989 owned by a subsidiary of Rederi AB Gotland in Visby; 01-1991 renamed *Stena Normandy;*

19-06-1991 last call in Hook of Holland and replaced by the *Stena Britannica;* transferred to Southampton and started a new route to Cherbourg.

Bareboat-chartered vessels of Sealink Stena Line Ltd/ Stena Sealink Ltd, Harwich.

(time-chartered by Stena Line BV, Hook of Holland)

51 STENA NORMANDY

(see nr 154)

52 STENA BRITANNICA

Gross tonnage	26671	Nett tonnage	14378
		Draft	6,70m
Dimensions	166,10m x 28,40m		
Engine	twin screw motorship, Wärtsila Pielstick, 4 x type 12 PC 2.5V diesels; 31200 hp; 22 knots		
Capacity	1800 passengers; 647 cabins with 1600 berths; 450 cars		
Owner	Stena Rederi AB, Gothenburg. Swedish registration.		
Builder	OY Wärtsila AB in Turku Abo (Finland) (1252)		

Originally built 1981 for Silja Line as operator as *Silvia Regina,* together with her sistership *Finlandia,* for the run accros the Baltic between Stockholm and Helsinki; owned by Finland Steamship Company (EFFOA)/Johnson Line of Stockholm. 1988 bought by Stena Rederi AB and chartered back to Silja Line. 1991 replaced by *Silja Symphony;* 05-1991 refitted at Bremerhaven for use on the Harwich – Hook of Holland route and renamed *Stena Britannica.* 19-06-1991 the 1st call at Hook of Holland, after berthing trials in Hook of Holland on 17-06-1991.

TRAIN FERRIES ON THE HOOK OF HOLLAND – HARWICH SERVICE

From time to time extra freight ships were required to operate on the Harwich – Hook service and rather than charter specialist vessels, it was the practise of British Rail, and later Sealink UK Ltd., to transfer one of their train ferry vessels from the Harwich – Zeebrugge route. The first such vessel to call at the Hook was the *Essex Ferry* on 9th November 1968 in order to pick-up a large number of redundant wooden railway containers. They were surplus to requirements due to the commencement of the new Harwich – Rotterdam container service which used standard ISO containers.

The *Essex Ferry* did not fit the Hook of Holland linkspan and so the old containers were crane loaded.

In the seventies and eighties the 'Essex' and the other three Harwich train ferries were occasionally switched to serve the Hook in their capacities as cargo ships and transporters of trade cars and heavy ro-ro freight. The *Cambridge Ferry* was the final vessel of this class to call at the Hook on 7th March 1986 when carrying freight during the absence of the *St. Nicholas* which was on annual overhaul.

One more vessel brought in to carry extra freight was the chartered Stena Line ro-ro ship *Stena Sailer* which appeared again during 1986. She later became Sealink's *St. Cybi* and was based on the Welsh port of Holyhead.

FLEET LIST INDEX